Croisés

**Maurice Saindon
et Suzanne Saindon**

éditions BRAVO!

© Maurice Saindon, Suzanne Saindon et
Les Publications Modus Vivendi inc., 2013

Publié par les Éditions BRAVO! une division de
LES PUBLICATIONS MODUS VIVENDI INC.
55, rue Jean-Talon Ouest, 2e étage
Montréal (Québec) H2R 2W8
CANADA

www.groupemodus.com

Éditeur : Marc Alain
Éditrice déléguée : Isabelle Jodoin
Concepteurs des mots croisés : Maurice Saindon et Suzanne Saindon
Réviseure : Flavie Léger-Roy

ISBN 978-2-89670-088-2

Nous reconnaissons l'aide financière du gouvernement
du Canada par l'entremise du Fonds du livre du Canada
pour nos activités d'édition.

Imprimé au Canada

TABLE DES MATIÈRES

COMMENT JOUER

Le but est de retrouver tous les mots de la grille grâce aux définitions données sur la page précédant celle-ci. Des définitions sont données pour toutes les lignes (mots écrits à l'horizontale) et toutes les colonnes (mots écrits à la verticale) de la grille : ainsi, les mots de ces deux directions s'entrecroisent, d'où le nom de « mots croisés ».

La grille est composée de cases blanches et de cases noires. Les cases noires servent de séparateurs, c'est-à-dire que toute série de cases blanches contiguës comprises entre deux cases noires et situées soit sur une même ligne, soit sur une même colonne correspond à un mot qu'il faut trouver. Cependant, il existe une exception : les cases blanches coincées entre deux cases noires mais isolées n'ont pas à correspondre à des mots; par conséquent, on ne trouve jamais de définition pour ces cases.

HORIZONTAL

1. Végétaux — Monnaie du Cambodge.
2. Curé colonisateur du Nord — Nickel.
3. Entrave pour le cheval — Ville du diocèse de Saint-Jérôme.
4. Particule — Hydrocarbure saturé.
5. S'oppose au nord — Prénom de la comédienne Lafontaine.
6. Arbuste ornemental de la famille des hédéracées — Sigle de « Conseil du Trésor » — 52 semaines.
7. Zone externe du globe — Soutien du navire.
8. Gros véhicule automobile — Liliacée potagère à odeur forte.
9. Période — Entrecroisement.
10. Explosif — Il tua le géant Goliath.
11. Matériau de construction à base de ciment et d'agrégats — Instrument de dessinateur — Allié.
12. Lui — Lémurien — Matou.

VERTICAL

1. Navigation qui ne sert qu'au plaisir — Préfixe signifiant deux.
2. Travail du sol en vue de son ensemencement — Coopérative de l'ancienne U.R.S.S.
3. Avec abondance.
4. Propre — Territoire d'outre-mer (acronyme).
5. Thallium — Substance toxique pouvant causer la mort — Exclamation enfantine.
6. Féminin de il — Langue isolée parlée par les Aïnous.
7. Décent — Titane.
8. Abréviation de Connecticut — Prénom de Meunier, l'auteur de « La petite vie ».
9. Ivoire de morse — Nom grec de deux montagnes.
10. Associé — Symbole chimique (n° 81) — Rivière de Slovaquie, affluent du Danube.
11. Persistai avec obstination (v. pr.) — Ville du Pérou ou sorte de fève.
12. Dépôt dans le vin — Mère de la Vierge — Formulé.

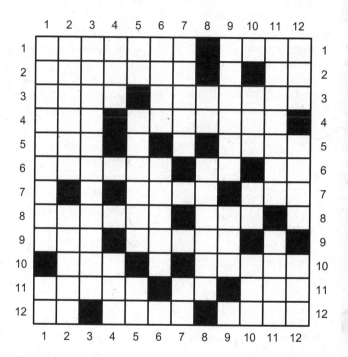

HORIZONTAL

1. Protéine formée exclusivement d'acides aminés (par opposition à hétéroprotéine).
2. Métal faiblement radioactif (symbole U).
3. Mouvement oscillatoire du niveau de la mer — Filaments sécrétés par des mollusques pour se fixer sur leur support.
4. Prévenir d'un danger — Divinité shintoïste.
5. Nickel — Lieu solitaire habité par un ermite.
6. Échappatoire — Chacune des deux ouvertures du nez.
7. Petit reptile fouisseur — Dénigrer.
8. Freina — Chef sudiste.
9. Partisan de l'arianisme — Quatre-cents.
10. Établissement où les élèves sont pensionnaires — Vision.
11. Marque le lieu — Mets suisse à base de pommes de terre — Branché.
12. Salle centrale du temple grec — Unité de mesure d'équivalent de dose de rayonnement ionisant.

VERTICAL

1. Fait de s'humaniser.
2. Dire à haute voix — Nuança.
3. Dieu protecteur du foyer chez les Romains — Poisson voisin du hareng.
4. Coûteuse — Légumineuse.
5. Très médiocre — Aracée tropicale.
6. Ruisselet — Éminence — Tranches d'un gros poisson.
7. Poisson voisin de la sciène — Ville de Roumanie.
8. Planche horizontale disposée pour recevoir des livres.
9. Basque — Quatre.
10. Plante herbacée naine.
11. Pour Kant, la chose en soi — Peau tannée.
12. Septième note — Usent.

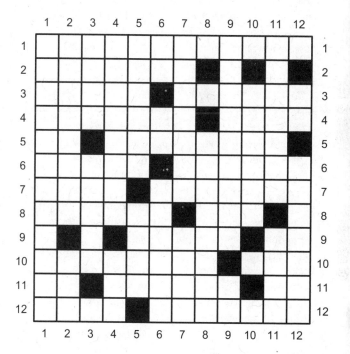

HORIZONTAL

1. Carré de soie que l'on met autour du cou — Ainsi soit-il.
2. Introduire qqch. de nouveau — Repas à prix fixe servi dans un restaurant.
3. Notre-Dame — Cétone à odeur de violette — Deux-cents.
4. Huile qqch. pour atténuer le frottement et faciliter le fonctionnement — Vallée.
5. Bière — Cuire à feu vif — Issu.
6. Il transmet des messages nerveux — Compositeur allemand (1873-1916).
7. En due forme — Relatif à la mer Égée.
8. Orientera — Sans aucune valeur.
9. Mode usuel de division de la cellule vivante — Chrome.
10. Composition musicale — Exposa.
11. Réunion mondaine qui a lieu le soir — Excessivement.
12. Monument funéraire — Fragment de pain.

VERTICAL

1. De la Finlande.
2. Qui présente des ondulations plus ou moins régulières — Armée féodale.
3. Chiffre — Terre-plein — Héros du Déluge.
4. Petit rongeur voisin du muscardin — Objet d'orfèvrerie servant à tenir qqch. fermé.
5. Posséder — Venir au monde.
6. En... : à la rescousse — Cheville utilisée pour surélever la balle.
7. Coup porté avec le poing droit, en boxe — Drame — Éminence.
8. Caractérisée par des chutes de neige.
9. Esprit — Petite règle.
10. Première personne — Après do — Peinture, par exemple.
11. Vente aux enchères — Entoure d'une clôture.
12. Particule de l'atome — Grosse lime.

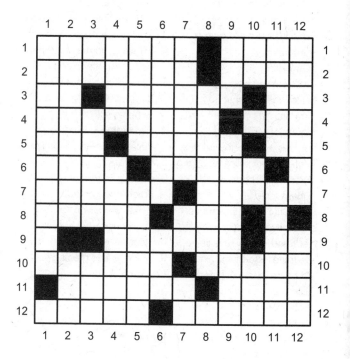

HORIZONTAL

1. Désaccord.
2. Arbre du bassin méditerranéen — Aigre.
3. Personne qui parle du nez — Ytterbium.
4. Fleuve sibérien — Ut — Mesura du bois.
5. Petite loge — Contraire d'amont.
6. Courroux — Cétone.
7. Trois fois — Collecte — Platine.
8. Fer tranchant placé en avant du soc de la charrue — Bernache.
9. Dessin fini — Connaissance exhaustive de Dieu.
10. Adresse — Lieu où le lièvre se retire — Terbium.
11. Partie de la tête — Éméché.
12. Gloussé — Onde — S'écouler.

VERTICAL

1. Qui est d'un seul bloc de pierre — Richesse.
2. Perfectionné — Jeu d'argent.
3. Situé — Fissure de l'épiderme.
4. Enlève de la matière à un objet — Lamier blanc.
5. Se dit d'un groupe de langues nilo-sahariennes — Après sol.
6. Semblable — Exprime l'intensité — Produit du houx.
7. Période — Force.
8. Usages — Enlèvent.
9. Bateau de la Méditerranée — Bouton des arbres.
10. Éminence — Première femme — Tibia — Aperçu.
11. Puma — Très médiocre.
12. Arme — Berceau.

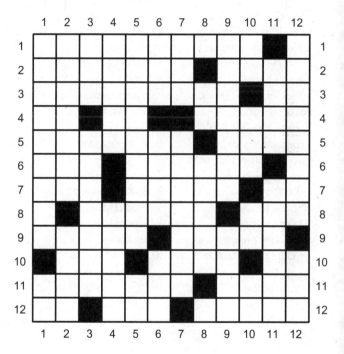

HORIZONTAL

1. Ce qu'il y a de plus profond — Épeautre.
2. Plus bas — Qui n'est plus.
3. Quantité de bois — Vautour.
4. Refus de l'alimentation (Méd.) — Rubidium.
5. Fleuve sibérien — Promontoire — De race noire.
6. Plantation de caféiers — Désert rocheux.
7. Durée — Rendra plus large.
8. Aviron — Pendant — Traditions.
9. Oublieuse — Issu.
10. Prélat chargé de représenter le pape — Proportion d'un constituant donné dans une substance.
11. Ancien émirat de l'Arabie — Parler né de l'esclavage noir.
12. Diminution des globules rouges du sang — Nuancer.

VERTICAL

1. Amoncellement — Instrument à vent, de forme ovoïde et percé de trous.
2. Plante voisine du navet — Risqua.
3. Paradis — Propre à la femme.
4. Cruel — Liquide d'impression.
5. Lieu planté d'osiers — Germanium.
6. Notre-Seigneur — Nommer les lettres — Cent-un.
7. Moelleux — Punaise d'eau.
8. Donner un coup de couteau — Sous la balle.
9. Transpiration — Singe femelle.
10. Entre noir et blanc — Bienheureux.
11. Berner — Multitude dense d'insectes.
12. Ancien conjoint — Balbutier.

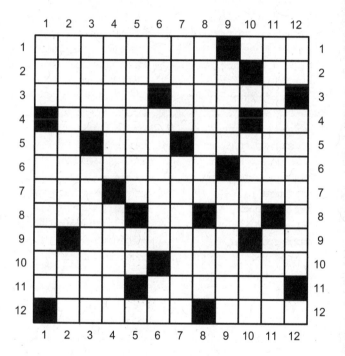

HORIZONTAL

1. Inspiré par la révérence.
2. De vive voix — Argon.
3. Fait sur un mur — Enivré.
4. Pomme — Le premier — Doué de vie.
5. De l'Italie — Métal précieux.
6. Port du Brésil — Biffa.
7. Épouse d'Adam — Exhibition.
8. Ils — Titane — Rad.
9. Livre public (comme celui des armes à feu).
10. Conifère — Son arche fut célèbre — Amas chaotique de glaces.
11. Pièce de harnais — À toi — Gratitude.
12. Pape — Carte.

VERTICAL

1. Variété de laitue — Enfant du père.
2. Sortie brusquement — Compta sur.
3. Dispositif qui fait varier une intensité électrique — Nombre romain ou démonstratif.
4. Roi d'Israël — Laize — Gaz rare de l'atmosphère.
5. Briller — Saveur.
6. Titre ecclésiastique — Orchidée.
7. Partie d'une église — Naïf — Équerre.
8. Sigle d'un chemin de fer — 365 jours — Souverain de Russie.
9. Chemin suivi.
10. Six — Argent — Désert de dunes.
11. Pleurnicher — Perroquet.
12. Raira — Mort.

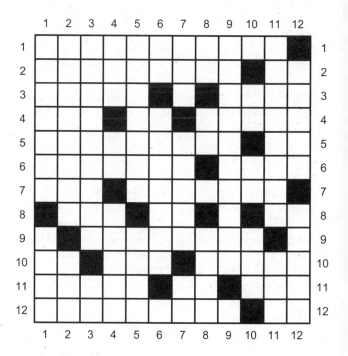

HORIZONTAL

1. Tache cutanée — Oiseau des forêts tropicales de l'ordre des coraciiformes.
2. Savoir-vivre — Ingurgité.
3. Manie — Aiguiser.
4. Retouche sur une peinture (Bx-A.) — Légèrement froid.
5. Occident — Sélection.
6. Rictus — Ville de la Flandre-Orientale.
7. Antimoine — Petite botte de bûchettes — Monnaie roumaine.
8. Plante telle la cinéraire — Qui n'est ni à toi ni à lui.
9. Période — Cité antique — Rendre stable.
10. Seul — Langage de programmation — Risqué.
11. Délasserions.
12. Éructation — Obtenu — Éminence.

VERTICAL

1. Voleur.
2. Formule de salut — Tromper.
3. Ensemble de ruches — Venu au monde — « Avec ».
4. Technétium — Droit accordé à des réfugiés politiques — Habileté à faire quelque chose.
5. Série de coups de baguettes — Cavité de l'oreille.
6. Pays — Trancher la gorge.
7. Conifère — Quelqu'un — Monnaie danoise.
8. Petit coffre de confection soignée — Policier.
9. Arrêt de la sécrétion urinaire — À demi — Marque le lieu.
10. Tantale — Avertisseur.
11. Insecte social — Ouïe.
12. Grizzli — Indigné.

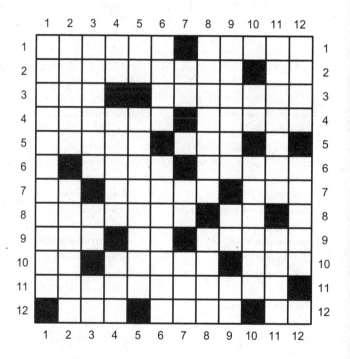

HORIZONTAL

1. Liée à la chirurgie.
2. Vin de Bourgogne — Le jour qui précède aujourd'hui.
3. Perturbation atmosphérique — Agrume.
4. Partie allongée d'une plante qui porte les feuilles — Elle protège le matelas.
5. Fruit de l'azerolier — Seigneur.
6. Oiseau passereau — Il vaut 3,1416 — Indique une liaison.
7. Pendant — Accord.
8. Affectueux — Brame.
9. Voltampère — Chemin étroit.
10. Choisi par vote — Divinité grecque ou symbole chimique n° 32 — En passant par.
11. Elle fait un récit.
12. Fruit du hêtre — Mois printanier — Avant nous.

VERTICAL

1. Serpent à sonnette — Il a perdu sa femme.
2. Parallèle à l'horizon.
3. Orner de métaphores — Associé.
4. Serions très en colère — Mesure de l'âge.
5. Première page — Lac pyrénéen — Échelon.
6. Note ou île — Se succéder à tour de rôle.
7. Prison — Clair — Avant midi.
8. Roulement de tambour — Platine — Il correspond à notre « i ».
9. Loueuse de chaises dans un lieu public — Esclaffé.
10. De cette façon — Homme de main.
11. Manque de sérieux — À cet endroit.
12. Période — Saison — Il avait cours en Chine.

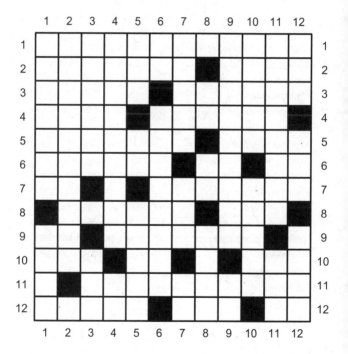

HORIZONTAL

1. Qui permet de rendre des souvenirs à la conscience.
2. Pluriel de trullo — Qui s'est réellement passée.
3. Échouée — Fait de vive voix.
4. Atmosphère — Au poker, réunions de trois cartes de même valeur.
5. Capitale de la Jordanie — Du verbe gésir.
6. Parieuse — Argon.
7. Faible lumière — Pénurie.
8. Affichai — Surmulot.
9. Personne qui joue à la manille — Curie.
10. Greffé — Met en sachet.
11. Saillie à la patte du coq — Démentir.
12. Double règle — Tombe en flocons.

VERTICAL

1. Strangulation.
2. Réel — Vent du sud-est.
3. Insultante.
4. Passe-partout — Sorte de roche employée à la fabrication de meules.
5. Boisson anglaise — Fait sur un mur.
6. Titane — Peu élevé — Partie de l'intestin.
7. Décorer — Greffé.
8. Saoul — Excès.
9. Sulfure naturel d'arsenic — Chemin de campagne.
10. Illuminer — Compagnie.
11. Notre-Seigneur — Salissure.
12. Direction — Pièce de la bride qui passe sur la nuque du cheval.

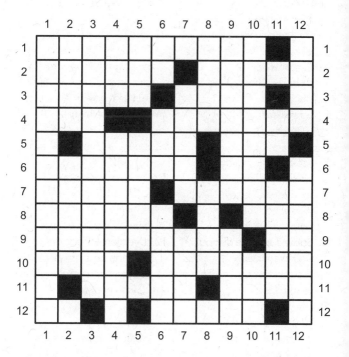

HORIZONTAL

1. État d'une surface rugueuse — Prénom de Xingjian, écrivain et peintre français d'origine chinoise.
2. Sensible à l'érosion — Partie d'un poème.
3. Chaste — Changement important.
4. Conseillère secrète — Dégrossir à l'aide d'une lime.
5. Œstrus — Interpénétration.
6. Tantale — Potentille.
7. Gourbet — Orignal — Xénon.
8. Montant des enjeux — Roi de Norvège (995-1000).
9. Langue romane — Se joue avec des balles et des clubs.
10. Fait de se tromper — Entrée d'une maison.
11. Germanium — Polytechnicien (argot) — Gratitude.
12. Affection de la peau d'origine virale — Inventer.

VERTICAL

1. Ensemble des œuvres interprétées par un artiste.
2. On y dépense des pesos uruguayens — Céréale.
3. Cochon — Vérifier et arrêter définitivement (un compte).
4. Avoir le cran de — Particule.
5. Septième note — Anion — Mammifère qui vit sous terre.
6. Ébriété — Membrane de l'œil.
7. Cheville utilisée pour surélever la balle — Cantaloup.
8. Relatif à la fleur — Partie de la charrue.
9. Proximité dans l'espace.
10. Ensemble de cellules qui deviendront gamètes — Croissant pour émonder les arbres.
11. Objet servant à attaquer ou à se défendre — Ancien conjoint — Bouquiner.
12. Risquera — Augmenter.

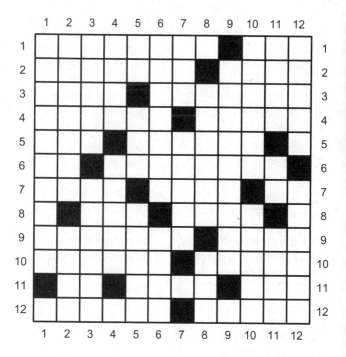

HORIZONTAL

1. Transmettre par télévision
   — Élément du squelette.
2. Horreur.
3. Nouaison — Préfixe qui
   multiplie par cent.
4. Cause la mort — Faute.
5. Rivière qui passe à
   Compiègne, Creil et Pontoise
   — Espace de terre.
6. Thallium — Contenant en
   matière rigide — Poisson
   rouge doré.
7. Piquer une viande de lard
   — Sainte.
8. Personne dont on célèbre le
   mariage — Trou mural
   — Éminence.
9. Greffe — Personne
   appartenant à la
   communauté israélite.
10. Do — Passer d'un côté
    à l'autre.
11. Récit merveilleux — Dans le
    calendrier.
12. Divinité de l'Amour
    — Fatigué.

VERTICAL

1. Plus tôt — Instrument
   pour polir.
2. Brûler.
3. Vantes — Expression d'un
   idéal esthétique — Jeu.
4. Affecté — Enivrements.
5. Fait un virement — Poème mis
   en musique — Radon.
6. Passivité — Pierre fine.
7. À lui — Trouver qqch.
   qui était égaré.
8. Léger et aérien — Personne
   bavarde.
9. Qui exprime la joie — Cessai
   l'allaitement.
10. Colorait en brun jaune
    — Père de Jason.
11. Possèdent — Opinion
    — Posséda.
12. Enjolivé — Décédée.

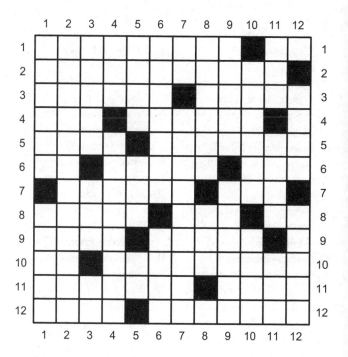

HORIZONTAL

1. Ensemble des doctrines des Églises orthodoxes.
2. Grande étendue de terrain couverte d'arbres — Poisson-lune.
3. Relative à la fleur — Carrelet.
4. Courroie que tient le cavalier pour guider sa monture — Ville du Québec sur le Saint-Laurent.
5. Nationalise — 52 semaines.
6. Notre-Dame — Pâté de maisons — Située.
7. Mielleuse.
8. Rédiger — Passe dans une eau claire.
9. Gamin de Paris — Île de l'archipel des Hawaii.
10. Cube — Relatif au vent.
11. Vallée sur le flanc d'un anticlinal — S'inscrire en faux — Verrue du cheval.
12. On y met des cendres — Inspire.

VERTICAL

1. Oblation — Serré.
2. Figuration — Médecin.
3. Siège des souverains — Canton suisse — Zinc.
4. Caractère de ce qui est hérétique.
5. Retrancha — Petit aigle (Hérald.).
6. Moulure pleine de profil (Archit.) — Fleur symbolique.
7. Excès de poids — Piquet.
8. Élément du squelette — Cité antique — Désert de dunes.
9. Opération par laquelle on imprime.
10. Dieu des Vents — Victoire de Napoléon — Fer.
11. Il fleurit en mai — Viande animale.
12. Personnage de conte — Fils du frère — Cérium.

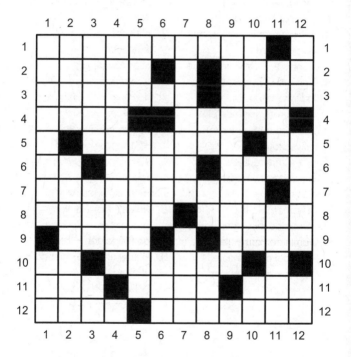

HORIZONTAL

1. Plat de viande ou de légumes hachés fin — Cuvette.
2. Habitation de neige — Membrane enveloppant les poumons.
3. Conteste — Ornement doré.
4. Derrière — Foyer.
5. Iridium — Armature en fer dans un ouvrage de plâtre.
6. Mouche à feu — Incisive.
7. Petit restaurant en Italie — Petit morceau cubique.
8. Renoncer à un droit naturel.
9. À la mode — Roche métamorphique.
10. Pièce de la charrue — Hibou — Animal sauvage qui hurle.
11. Accepter — Monnaie roumaine.
12. Pardonne — Ale.

VERTICAL

1. Coureur, cycliste français, champion du monde en 1980 — Habitation de sapin.
2. Influencer — Oxyde d'uranium.
3. Relatif au clergé — Enjambée.
4. Holmium — Inflammation de l'iris — Jeu chinois.
5. Additionné d'iode — Retranché — Touffu.
6. Métal précieux — Qui dure trop longtemps.
7. Fait d'aimer mieux.
8. Nommé par élection — Courroux — Rubidium.
9. Galerie vitrée — Lui.
10. Labiée à fleurs jaunes — Séparé.
11. Désinence d'un verbe du premier groupe — Cercle — Transpirer.
12. Diriger de manière trop autoritaire — Empeste.

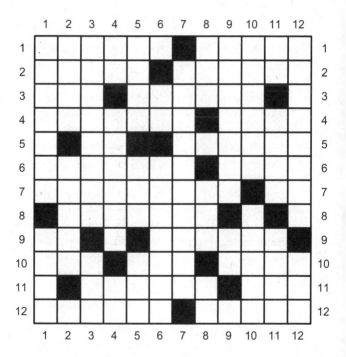

HORIZONTAL

1. Effectua un dosage
   — Parfumé.
2. Arbre exotique — Autrement
   dit.
3. Dont le pétiole est fixé au
   milieu du limbe — Comédien.
4. Bord d'un cours d'eau
   — M'emportai avec colère.
5. Archipel — Chérie.
6. Mille-cinquante — Pièce du
   jeu d'échecs — Énonces.
7. Ventiler — Risquent.
8. Fric — Trois fois.
9. Triage — Renoncera à un
   droit naturel.
10. Relative à l'usine — Après tu.
11. Idolâtrer — Prince.
12. Cassier — Arbre qui
    fournit l'ébène.

VERTICAL

1. Démoralisant — Carte.
2. Organe de l'ouïe — Rugueux.
3. Forêt tropicale dense et
   humide — Entendement.
4. Certifier l'authenticité
   — Colère.
5. Hélium — Viscère.
6. Métal précieux — Ancienne
   pièce d'or — Approuver
   à majorité.
7. Étude de l'évolution des
   langues dans le temps.
8. Tonton — Hirondelle de mer.
9. Ralenti — Lumière des tubes
   fluorescents.
10. Qui a cessé de brûler
    — Préfixe signifiant deux.
11. Fit un nœud — Qui ne peut
    pas avoir d'enfants.
12. Capitale du Piémont (Italie)
    — Respirer difficilement.

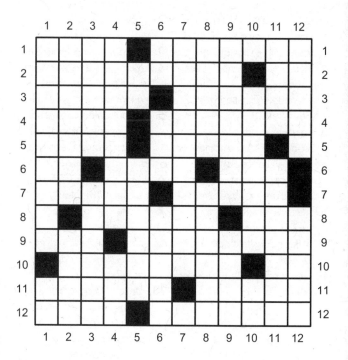

HORIZONTAL

1. Qui vise à tromper.
2. Interjection espagnole — Se dit d'une tutelle déterminée par le conseil de famille.
3. Postérieur — Quelqu'un.
4. Ricane — Se rendra — Puits naturel.
5. Lavande — Papillon voisin des teignes.
6. Passivité — Urus.
7. Scandium — À ce moment-là.
8. Fente au sabot du cheval — Sa capitale est Téhéran.
9. Réfutation — Chlore.
10. Associé — Avant midi — Très content.
11. Diriger dans une nouvelle direction.
12. Terrain en pente — Brosse d'orfèvre.

VERTICAL

1. Personnes qui fournissent des marchandises.
2. Anneau de mariage — Venu au monde.
3. Message écrit — Inintelligent.
4. Ensemble des espars de rechange — Roulement de tambour.
5. Lieu où l'on peut se mettre à couvert des intempéries — Substance qui recouvre la couronne des dents.
6. Me dirigerais — Oiseau coureur d'Australie.
7. Parfaite — À la mode — Notre-Seigneur.
8. Pluie — Habileté.
9. Plantes pouvant capturer des insectes.
10. Onze — De la ceinture aux genoux quand on est assis — Oiseau bavard.
11. Se courber (v. pr.) — Curriculum vitae.
12. Route d'un cerf qui fuit — Liquide qui humecte la bouche.

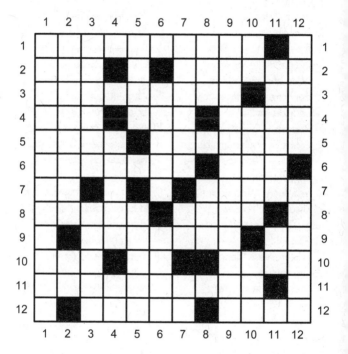

HORIZONTAL

1. Le corps des mandarins.
2. Touffu — Nouvelle qui se répand dans le public.
3. Revivre.
4. Fus couvert de — Robe indienne.
5. Note ancienne — Elle déchiffre et comprend un texte.
6. Râpeux — Élévation.
7. Courroux — Quantité de fluide qui s'écoule — Exclamation enfantine.
8. Ventiler — Jamais paru.
9. Rivière d'Éthiopie — Compositeur français (1823-1892).
10. Ustensile de ménage — Traîneau.
11. Pièce d'une serrure — Huitième lettre de l'alphabet grec.
12. Membre d'un jury — Largement ouverte — Nommé par élection.

VERTICAL

1. Vive remontrance.
2. Ouverture de la bouche lors de l'émission d'un son — Eu la capacité.
3. Préfixe qui divise — Voler.
4. Flûte double de la Grèce antique — Provient de.
5. Abri — Comique.
6. Éclaboussure.
7. État d'une personne irritable.
8. Déshabillée — Causa la perte de la fortune de — Hélium.
9. Avant midi — Passereau de la famille des picidés.
10. Qui adhère fortement — Incertitude.
11. Rassemblé — Mesure employée en géodésie.
12. Œufs de poissons — Petite pomme de terre.

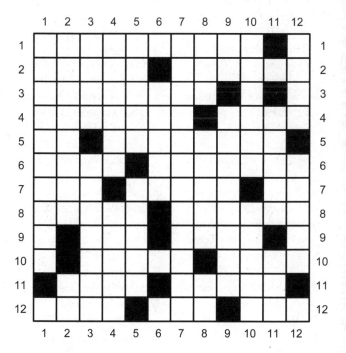

HORIZONTAL

1. Du Val d'Aoste — Connu.
2. Prière — Se risquer.
3. Copier — Plante voisine du gingembre.
4. Grive — Très petite île.
5. Atoll — Frère de Moïse — Iridium.
6. Saint homme — Qui adore les idoles.
7. Coupe la barbe — Magistrat municipal.
8. Victoire de Napoléon — Dignitaire ecclésiastique.
9. Francium — Mesure de volume.
10. Versa dans le récipient d'où venait le liquide — Sommet.
11. Quatre — Enlever la peau de (un végétal).
12. Connu de tous — Gageure.

VERTICAL

1. Catamaran — Argent.
2. Champignon parasite des racines des arbres.
3. Qui ressemble au lait — Méprisable.
4. Comme ci-dessus — Ôté.
5. Me risquerai — Mélodie.
6. Perturbation atmosphérique accompagnée de vents violents — Empereur de Russie.
7. 12 mois — Rongera.
8. Fruit à noyau dont on tire une huile.
9. Se dit de la valeur inscrite sur un billet — Pied de vigne.
10. Après fa — Boisson mexicaine.
11. Machine utilisée pour semer les graines — Océan.
12. Canal pour l'urine — Papier abrasif.

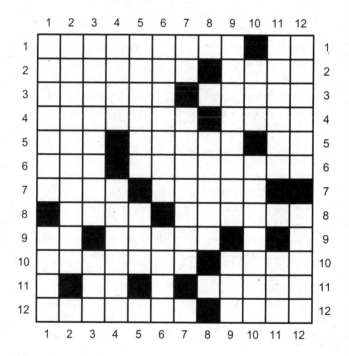

HORIZONTAL

1. PC.
2. Teinte — Bicyclette.
3. Instrument médical destiné au curetage — Contraire d'amont.
4. Ville du sud-ouest du Nigeria — Entière.
5. Mollusque — Papier abrasif.
6. Tunique de l'œil — Enjoué — Se dit d'un membre difforme.
7. Culbute d'un véhicule — Pédéraste.
8. Lien grammatical — Aperçu — Percer.
9. Lampé — Insecte qui ronge le bois par l'intérieur.
10. Carte — Poisson plat — Entre la et do.
11. Du Texas — Épuisante.
12. Ablation — Utiliser.

VERTICAL

1. Partie de la tête — Animal.
2. Superstructure sur le pont d'un navire — Souhait — Ancien conjoint.
3. Péniblement — Direction.
4. Terre entourée d'eau — Monnaie du Japon — Souverain russe avant 1917.
5. Propre — Mère d'Abel — Issu.
6. Véhicule — Grands bœufs sauvages de l'Inde.
7. Support — Expression boudeuse.
8. Chum — Enfant de sexe masculin.
9. Relative au raisin — Pièce de charpente.
10. Lampadaire — Notre-Seigneur.
11. Note ou article féminin — On en fait une teinture antiseptique — Sainte.
12. Beau — Habitat creusé dans la terre par un renard.

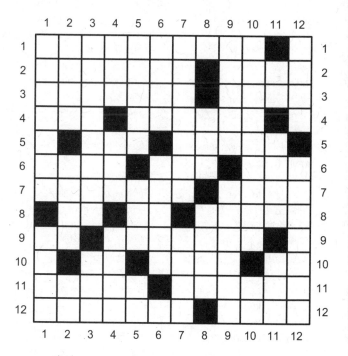

HORIZONTAL

1. Étude scientifique des enzymes.
2. Calme — Son fruit est un akène.
3. Cuivre — Nodosité — Ancienne ville.
4. Partie du cheval — Grès vitrifié dans la masse.
5. Exprime le dégoût — Regimbons.
6. Bière — Fis une sternutation.
7. Sommeil — Son intense — Millet.
8. Conduite étanche souterraine — Ventilée.
9. Deux — Allonger.
10. Branle dans le manche (Québec) — Liste des plats servis au restaurant.
11. Dépourvu de dents — Masse de pierre.
12. Ancien conjoint — Rote — Première personne.

VERTICAL

1. Évasion — Dame.
2. Spécialité médicale qui étudie le système nerveux.
3. Zirconium — Elle peut vivre à Stockholm.
4. Monnaie du Japon — Indique une alternative — Poisson rouge.
5. Jeune enfant — Se nourrir au sein.
6. Eau de la mer — Technétium — Fin.
7. Bernerai — Téracoulomb.
8. Ses feuilles sont utilisées comme condiment — Sert à lier.
9. Varech — Unité de radioactivité.
10. Iridium — Passer en revue.
11. Affecté — Brosse d'orfèvre — Appellation.
12. Désert de dunes — Pronom masculin — Parasite de l'homme.

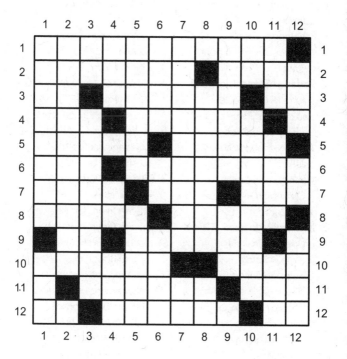

HORIZONTAL

1. Entrecuisse.
2. Rat palmiste — Ensemble des citoyens.
3. Enveloppe d'oreiller — Conducteur d'un pont roulant.
4. Radon — Souvent servie en salade — Mégaoctet.
5. Lieu où travaille un artiste — Unité de radioactivité.
6. Agiter — Étendue d'eau salée.
7. Monnaie nipponne — Champion — Poisson d'eau douce.
8. Hirondelle de mer — Offert en vertu d'un vœu.
9. Tantale — Astate — Plante à bulbe — Du verbe aller.
10. Oiseau échassier d'Afrique (ciconiidé) — Son émis par la voix des animaux.
11. Femelle du sanglier — Exaspérer.
12. Point cardinal — Inventer — Sélénium.

VERTICAL

1. Contraction anormale du cœur entre deux contractions normales.
2. Le non-être — Recouvris de tain.
3. Classement — Fleuve d'Irlande — Unité élémentaire d'information.
4. Rue étroite — Introuvable.
5. En matière de — Affectueuse.
6. Dévote — Peut se faire à l'arc.
7. Disciple de Jésus — Cheminée.
8. Énumération détaillée des mets — Cours d'eau.
9. Heurter — Tromperie — Terminaison des verbes du deuxième groupe.
10. Inflorescence — Exprime — Sigle de « Conseil du Trésor » .
11. Proposition préliminaire (Math.) — Éméchés.
12. Aucun — Recommencer.

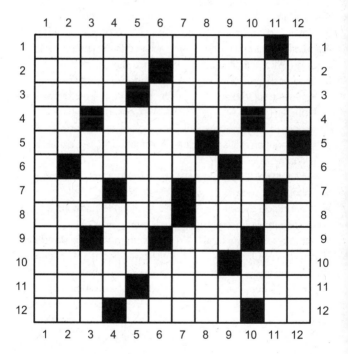

HORIZONTAL

1. Inadmissible.
2. Goût de ce qui appartient au temps présent.
3. Canne d'alpiniste — Nuança.
4. Installer quelqu'un sur un siège — Robe indienne.
5. Largeur d'une étoffe — Qui tire sur le bleu.
6. Frangin — Pensée.
7. Refuge — Usé par frottement.
8. Contenant en matière rigide — Monnaie roumaine — Plutonium.
9. Râper — Enfonce.
10. Période de chaleur — Iridium — Liliacée potagère à odeur forte.
11. Écarteur — Obscurité.
12. Qui manifeste du sérieux — Canal pour l'urine.

VERTICAL

1. Éthéré.
2. Querelle — Marcher en inclinant le corps d'un côté.
3. Talus de protection — Prendra une attitude assurée pour faire illusion.
4. Vedette — Avant cinq.
5. Parler né de l'esclavage noir — Construit.
6. Complète — Radon.
7. Il vaut 3,1416 — Voie étroite — Reçu.
8. Ville du Japon — Victoire de Napoléon.
9. Le matin — Hormone de l'hypophyse.
10. Serrure s'ouvrant des deux côtés par une clé pleine — Pâté de maisons.
11. Déchet extrait du sang — Post-scriptum — Iridium.
12. Soutien — Instrument en forme de T.

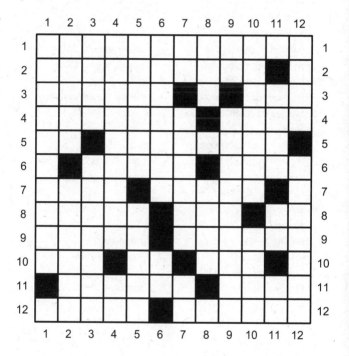

HORIZONTAL

1. Mets raté et peu appétissant (Québec) — Saint.
2. Menas par exemple un débat — Posséder.
3. Sclérosée — Pronom familier.
4. Flagrant délit — Localisa.
5. Elle fut changée en génisse par Zeus — Double règle — Poil de paupière — Pendant.
6. Cithare — Bitte d'amarrage.
7. Petit poème narratif — Façon.
8. De l'Angleterre — Chef-lieu de la Loire-Atlantique.
9. Fragment de tuile.
10. Mère d'Abel — Monnaie du Mexique.
11. Introduit la cause — Membrane de l'œil — Vieux oui.
12. Étourderie.

VERTICAL

1. Dilapida — Mèche de cheveux.
2. Qui n'a pas de foi religieuse — Métal précieux.
3. Liquide sécrété par le foie — Grande exactitude intellectuelle.
4. Soulèvement populaire — Volume imprimé.
5. Chenille — Viril.
6. Hardie — Bleuet — Lui.
7. Ayant reçu la consécration.
8. Plateau de grès, au Sahara — Neuf.
9. Tirer du sommeil — Vingt-troisième lettre.
10. Espace sablé.
11. Placerez — Sensation auditive.
12. Bandit — Tête de rocher.

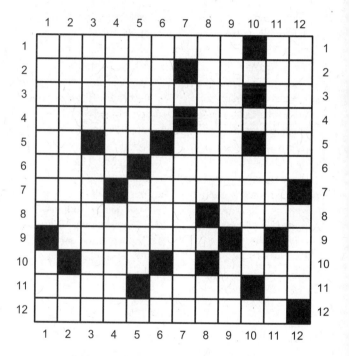

HORIZONTAL

1. Difficulté d'apprentissage de la lecture — Armée féodale.
2. Se marier avec — Grand lac entre les lacs Huron et Ontario.
3. De l'autre côté — Rongeur aux longues oreilles.
4. Courroux — Os d'un doigt.
5. Manchon d'une poignée — Nettoyé — Ancien conjoint.
6. Sert à lier — Hostile.
7. Momentané.
8. Alliage de cuivre — Pas cuit.
9. Organe pointu de certains végétaux — Inavoué.
10. Traditions — Manganèse — Rassemblé.
11. Fertiliser — Drame.
12. Côté gauche de l'écu — Monnaie du Japon.

VERTICAL

1. Question posée en manière de jeu — En matière de.
2. Elle est utilisée comme gaz de combat — Elle supporte un microprocesseur.
3. Ville du Québec sur le Saint-Laurent — Habitation.
4. Déchiffrés — Petite parcelle de terrain — Béryllium.
5. Fabuliste grec — Prière.
6. Xénon — Perroquet — Clair.
7. Il peut habiter Belfast — Route rurale.
8. Peupler d'alevins.
9. Interloquer — Pied de vigne.
10. Filin — Harassé.
11. Gorilles — Cervidé.
12. Double règle — Mise à mort d'un condamné.

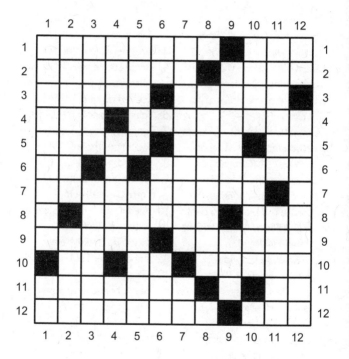

HORIZONTAL

1. Avoir peur — Habitant.
2. En plus de — Félin d'Amérique.
3. Issu — Rire crispé — À moi.
4. Lévrier arabe — Quiconque.
5. Cent-cinquante — Matières colorantes liquides.
6. Dernière partie de l'intestin — Dame.
7. Querelles violentes — À eux.
8. Bateau malais — Monnaie du Brésil — Neptunium.
9. Donneriez une coloration plus ou moins nuancée.
10. Labiée appelée aussi petit if — Initiales de l'ex-président américain Reagan — Ceinture japonaise.
11. Marque le lieu — Plateau formé par les restes d'une coulée volcanique — Terrain couvert d'arbres.
12. Caractère de ce qui est essentiel — Cérium.

VERTICAL

1. Système de recrutement militaire.
2. Rue étroite — Inspection détaillée.
3. Astate — Bâton d'écriture.
4. Entrée soudaine — Première personne.
5. Couvert de neige — Moult.
6. Vaine imagination — Nazi.
7. Tige du rotang — Pressai.
8. Bouclier — Thorium — Atmosphère.
9. Petit fragment détaché d'un os — Béryllium.
10. Aluminium — Engrais azoté — Jardin d'animaux.
11. Cadavre desséché et embaumé — Seul — Stylo.
12. Organisation révolutionnaire basque ou lettre grecque — Étonnement.

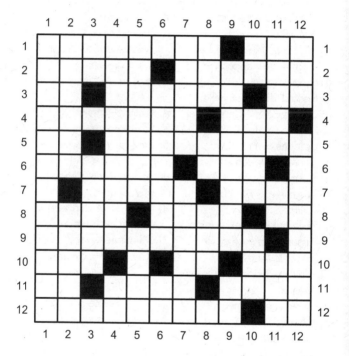

HORIZONTAL

1. Mouvement de ce qui voltige.
2. Établissement scolaire de certaines congrégations — Omets.
3. VI — Partie fixe d'une machine (par opposition à rotor).
4. Il a la direction spirituelle d'un diocèse — Champêtre.
5. Panneau d'étoffe — Qui renferme de l'uranium.
6. Donne par testament — Argent.
7. Querelle — Sous la balle — Plus.
8. Texte lu à la messe — Bronzé.
9. Passereau tacheté de bleu — Spectacle japonais.
10. Vola en dupant — Holmium — Dans.
11. Hymne en l'honneur d'Apollon — Opéra le lainage d'une étoffe.
12. Eux — Exécuté avec succès.

VERTICAL

1. Graisse minérale — Tête d'une tige de blé.
2. Fruit à noyau dont on tire une huile — Couteau fermant à manche en bois et doté d'une virole.
3. Profusion — Cinquante-deux — Amas.
4. Thulium — Interrogation.
5. Se révolter.
6. Brownie — Identique.
7. Avant thêta — Clair — Or.
8. Sélection — Stupéfiés.
9. Étranglerions.
10. Relater — Animal édenté.
11. Titane — Relative à l'arianisme.
12. Choisi parmi d'autres.

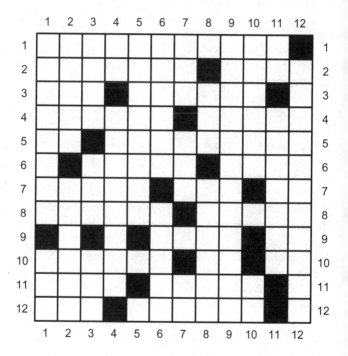

HORIZONTAL

1. Se déplacer à pied — Fête.
2. Transformation graduelle — Autrement dit.
3. Mécanicien — Totalité.
4. Quelqu'un — Procédons au méchage d'une cuve à vin.
5. Outil en forme de S allongé — Aluminium — Vieux.
6. Incursion — Élément du squelette.
7. Récompense olympique — Bout d'une cigarette.
8. Mère du genre humain — Laize — Me rendrais.
9. Action de redresser.
10. Avènement — Prénom de Capone.
11. Élément d'un test — Pieu — Cérium.
12. Caché — Qui émet des signaux.

VERTICAL

1. Fixerait dans sa mémoire.
2. Futur — Disposition à faire le bien.
3. Matière rocheuse — Membre du bureau de l'Ecclésia à Athènes.
4. Cri collectif confus et tumultueux — Retour du même son à la fin de deux vers.
5. Plate-forme fixée à un mât — Monnaie bulgare.
6. Tête de rocher — Séparation d'éléments d'un mot.
7. Ricané — Clôture faite d'arbres — Nombre de tiroirs dans un semainier.
8. Étude de l'oreille — Astate.
9. Coup de poing — État habituel.
10. Employa — Ancienne monnaie chinoise.
11. Ration — Jeu chinois — Branché — Chrome.
12. Symbole de l'or — Calamité.

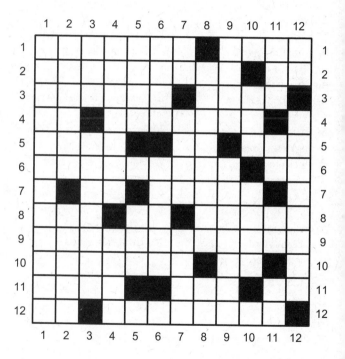

HORIZONTAL

1. Qui mange de tout — Recueil d'anecdotes.
2. Propre au théâtre de boulevard.
3. Emplacement dans une écurie — Particule.
4. Double règle — Lui — Prophète biblique (VIe s. av. J.-C.).
5. De façon qui provoque des dépenses excessives.
6. Ancienne ville — Consacré par une onction liturgique — « Avec ».
7. Unité élémentaire d'information — Chien qui chasse les rats.
8. Mettrions en torsades.
9. Dans ce pays — Prêtresse d'Héra — Carte — Oui.
10. Fendre — Maître de Démosthène.
11. Plein d'un entrain joyeux — Soutien du navire.
12. Partie d'un vélo — Qui est détourné du réel.

VERTICAL

1. Se dit d'une affection qui cause une obstruction.
2. Turbine — Mer.
3. Nuança — Est lumineux.
4. État américain entre le Mississippi et le lac Michigan — Nommé.
5. Personne qui manque de volonté.
6. En forme d'œuf — Le premier — Ut — Gadolinium.
7. Radium — Corps céleste — Colère.
8. Dressé — Niveler.
9. Énonce des affirmations d'un ton tranchant et autoritaire.
10. La première-née — Elle fut changée en génisse — Période de chaleur.
11. Venu au monde — Résine aromatique — Après tu.
12. Demi-cercle — Action de tordre qqch.

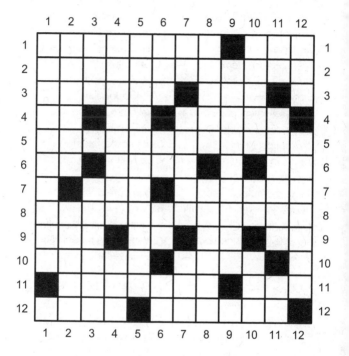

HORIZONTAL

1. Sa capitale est Jefferson City — Promontoire.
2. Aïeul — Unité de mesure de puissance.
3. Du tarse — Holmium.
4. Mèche de cheveux — Obscurité profonde.
5. Partie du lièvre — Soulèvement populaire.
6. Contestes — Fleuve qui passe à Florence.
7. Champion — Commencement — Résine malodorante.
8. Mesure employée en géodésie — Faire disparaître peu à peu.
9. Stupéfier — Musique pour deux voix.
10. Dévoré — Embarras — Détérioré.
11. Bord d'une rivière — Outil pour serrer.
12. Couvre-pied — Chrome.

VERTICAL

1. Action de materner qqn — Avalé.
2. Qui ne peut être apaisé.
3. Interprète officiel des Saintes Écritures — Monastère orthodoxe.
4. À elle — Drogue — Gadolinium.
5. Inflammation de l'oreille — Construire.
6. Engrais — Endette.
7. Ruminant voisin du cerf — Usages — Lieu destiné à la ponte.
8. Ver.
9. Unité de mesure de flux d'induction magnétique — Ruisselet — Dans.
10. Comptable agréé — Petit canot de course (anglicisme).
11. Affection neurologique caractérisée par des mouvements involontaires lents — Sacoche.
12. Descente d'un organe — Faute.

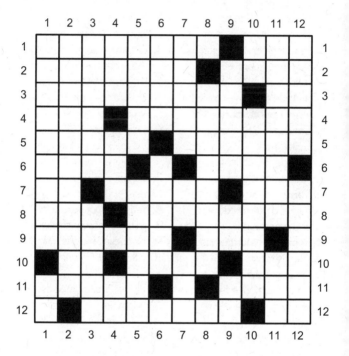

HORIZONTAL

1. Marécage sans arbres, le long de la mer — Rondelle.
2. Lame cornée au bout des doigts — Apogée.
3. Plantation de bananiers.
4. Dignité d'imam — Mec.
5. Actrice italienne née à Rome en 1934 (Sofia) — Conifère — Au goût du jour.
6. Époque — Peu élevé — Bourricot.
7. Date de la publication.
8. Mesure précise du temps.
9. Tranche de viande roulée autour d'une farce — Organisation du traité de l'Atlantique Nord (sigle).
10. Réalise l'assolement de — Décampé.
11. Largement ouverte — Prune — Indique la deuxième personne.
12. Ricané — Récipient servant aux infusions.

VERTICAL

1. Motif d'un crime — Crustacé très apprécié.
2. Image déformée.
3. Ignorant — Agir avec ruse.
4. Exprime en termes violents — Sport équestre.
5. Province de Chine qui a Zhengzhou pour capitale — De l'anus.
6. Indique une addition — Ornent une étoffe de dessins en relief.
7. Zirconium — Creux de la main — Thorium.
8. Personne qui perçoit les péages — Génie féminin.
9. Ion négatif — Aussi.
10. Chaîne — Inflammation de l'aorte.
11. Plus — Plante ornementale originaire du Mexique — Métal précieux.
12. Lamentation funèbre (Antiquité grecque) — Désir soudain.

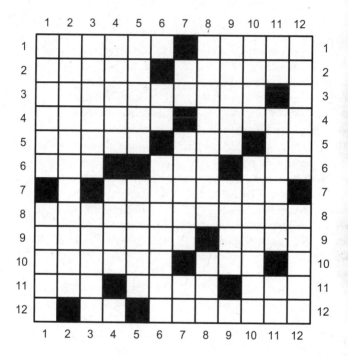

HORIZONTAL

1. Petite poutre — Plomb.
2. Force associée au yang — Marque le début de.
3. Empereur de Russie — Jeune homme entretenu par un homosexuel.
4. Coureur, cycliste français, champion du monde en 1980 — Oui.
5. Opinion — Période de rut.
6. Jumeau (vx) — Dans ce pays.
7. Couteau de poche.
8. Roulement de tambour — Indium — Entendre.
9. Rompra la continuité.
10. Rayon — Qui m'appartient.
11. Dis à voix basse — Ceinture de soie.
12. Gonfle — Empereur d'Allemagne.

VERTICAL

1. Doctrine de Pythagore et de ses disciples.
2. Désœuvrée — 52 semaines — Seul.
3. Sans exception — Champ de courses.
4. Personne ennuyeuse — Mille-cinquante.
5. Badiné — Face du dé — Poulie.
6. Avaler gloutonnement.
7. Qui a de la laitance — Veste imperméable à capuchon.
8. Parcourut des yeux — Partie de la charrue — Araignée de mer.
9. Puisard — Peuple amérindien du sud-ouest des États-Unis.
10. Seul — Rigolard — Tibia.
11. Praséodyme — Liquide organique — Pied de vers.
12. Sottisier — Mélodie.

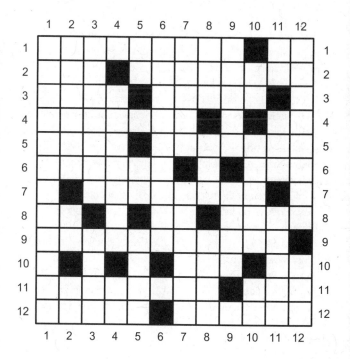

HORIZONTAL

1. Lésion cutanée élémentaire (par opposition à macule) — Babiole.
2. Nommerions à une fonction à la suite d'un vote — Critique italien né en 1932.
3. Prénom de la mère d'Utrillo — Qui comporte deux unités.
4. XI — Neuvième lettre — Ruisselet.
5. Vient au monde — Appareil microscopique de l'épiderme des végétaux.
6. Matériau composite fait de céramique et de métaux.
7. Baryum — Ombellifère vénéneuse.
8. Chat mâle non castré — Lui — Ressenti.
9. Rendre très fier.
10. Lanthane — Fleur — Connu — Laize.
11. Indique la répétition — Vente aux enchères.
12. Rognon — Devenu moins fréquent.

VERTICAL

1. Mesurons le poids — Mélanger.
2. Imprégna d'alun — Plantain.
3. Pincement des cordes d'un instrument à archet — Cent-un.
4. Aigle d'Australie — Fibre synthétique.
5. Plante fournissant une fibre textile — Empourprer.
6. Travestisme — Utiliser.
7. Faculté permettant de se reproduire tout en étant à l'état larvaire.
8. Rotule — Additionner.
9. Châtiment — Satellite.
10. Cache-cache — Table du sacrifice — Californium.
11. Distance — Lubrifiai.
12. Hydrocarbure aromatique — Courroie fixée au mors.

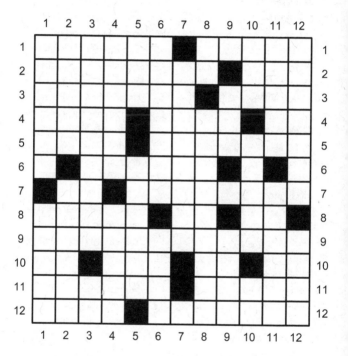

HORIZONTAL

1. Caractère de la musique sérielle.
2. Conspua – Temps de gelée – Vermine.
3. Rocher à fleur d'eau – Décapa à l'aide d'un abrasif.
4. Rhésus – Rassemblements de manchots.
5. Chacun des deux côtés d'une feuille – Détérioré.
6. Mesure agraire – Rupture de l'union dans l'Église chrétienne.
7. Qui se fait à volume constant (Phys.) – Rubidium.
8. Abri – Épiderme.
9. Plante ornementale de la famille des musacées.
10. Titane – Année-lumière – Moquerie.
11. Répété – Fit tort.
12. Fou de quelque chose – Jus obtenu par broyage de la canne à sucre.

VERTICAL

1. Guide de l'Himalaya – Corps céleste.
2. Sacrement.
3. République arabe unie – Être étendu – Conifère.
4. Période – Sel de l'acide oléique.
5. Frais bancaires – Fermer.
6. Cinéaste français prénommé Claude – Petit ruisseau.
7. Après tu – Pain eucharistique.
8. Punir avec rigueur – Zirconium.
9. Argon – Petite seiche.
10. Métal (n° 68) – Président du Portugal (1976-1986).
11. Mettra au diamètre exact l'intérieur d'un tube – « Égal ».
12. Arrêt d'un liquide organique – Pièce pour le travail.

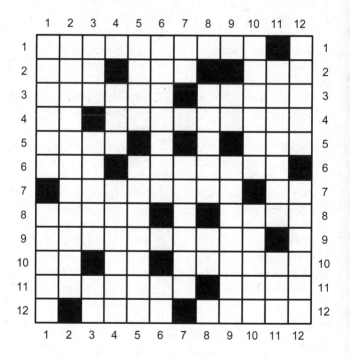

HORIZONTAL

1. Destructrice.
2. Qui concerne le travail du sol — Callosité douloureuse sur les orteils.
3. Ranime le feu — Lérot.
4. Weber — Relative à l'âne.
5. Archipel — Délayé.
6. Venu au monde — Diriger une arme vers qqn — Richesse.
7. Secoua vivement — Pilaf.
8. Tichodrome — Vieux oui.
9. Dévêtu — À moi — Iridium — Première page.
10. Machine pour laminer — Dans le vent.
11. Couteau (mollusque) — Vienne au monde.
12. Belle saison — Possédé — Brosse d'orfèvre.

VERTICAL

1. Relatif à la doctrine de Darwin — Désigne la troisième personne.
2. Sa sève est sucrée — Fond métallique d'une ampoule.
3. Vallée — Ampère-heure — Bière.
4. Recueil de cartes géographiques — Pierre précieuse.
5. Pièces de cuivre — Désagréable.
6. Manque d'assurance.
7. Désagrégation des roches cristallines en arènes.
8. Équerre — Terre entourée d'eau — Sélectionnas.
9. Appât — Vallée envahie par la mer.
10. Image — Septième note.
11. Endroit retiré — Transforme l'oxygène en ozone.
12. Fait de se tromper — Repas de Jésus.

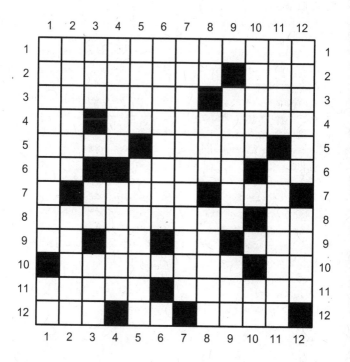

HORIZONTAL

1. Six dizaines — Orient.
2. Missionnaire français (1813-1860) — Ce qui existe.
3. Parfum — Forme du persan parlé en Afghanistan.
4. Valve utilisée pour l'alimentation des tubes à rayons X — Appellation.
5. Arbre qui fournit l'ébène — D'un brun jaune.
6. Tellement — Changer la couleur.
7. Oiseau voisin des corbeaux.
8. Fourreau — Se dit d'une manière de préparer des pêches.
9. Le bouleau, par exemple — Désigne la troisième personne — Agent de Louis XV.
10. Vallée envahie par la mer — Prise de judo — Chiffre.
11. Spécialiste d'épigraphie.
12. Vernis — Mouvement impétueux.

VERTICAL

1. Poète dramatique anglais prénommé William (1564-1616).
2. Antilope — Boyau d'un animal de boucherie.
3. Symbole graphique (Inform.) — De Cuba.
4. Côté gauche du cheval — Gadolinium.
5. Pièce de charpente d'un toit — Non préparé.
6. Issu — Souveraine — Frère servant.
7. Anatidé à bec rouge — Nombre d'instrumentistes dans un septuor.
8. Impulsion — Impôt prélevé par l'Église.
9. Infinitif — Bordure de l'écu (Hérald.) — Action de lancer une rondelle vers le but.
10. Flammèche — Connu.
11. Sélénium — Métal précieux — Coupe le bout de.
12. Oiseau d'Australie — Douze mois.

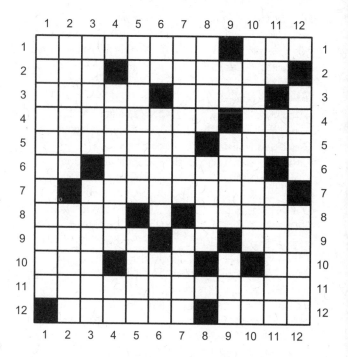

HORIZONTAL

1. Qui souffle de l'air chaud.
2. Cultiver des arbres — À lui.
3. Sa capitale est Rome — Os de la cuisse.
4. Il dose l'essence du carburateur — Céréale à gros épi.
5. Venu au monde — Enzyme qui catalyse l'hydrolyse d'une liaison ester.
6. Grand dévouement.
7. Paresseux — Donnent l'aspect de la nacre.
8. Qui tire sur le roux — Psychiatre français (1900-1977).
9. Page de journal — Dédit — Brin long et fin.
10. Épeautre — Réparation d'un tissu déchiré.
11. Inspiré par un passé récent — Fille de la sœur.
12. Ancien do — Objectif — Regimbera.

VERTICAL

1. Tueur de porcs — Belle-fille.
2. Plante couverte de poils renfermant un liquide irritant — Assemblage de chevrons.
3. Versant à l'ombre — Un peu jaune.
4. Aliénée — Fatigué — Rubidium.
5. Peintre français (1879-1949) — Pièce de monnaie.
6. Officier.
7. Champion — Liaison d'affaires.
8. Grand navire à voiles — Crépir de nouveau.
9. Double point — Après do — Pas beaucoup.
10. Frictionne — Visage.
11. Dépôt de fumée — Tomber en flocons.
12. Mâle de l'oie — Façon personnelle d'être.

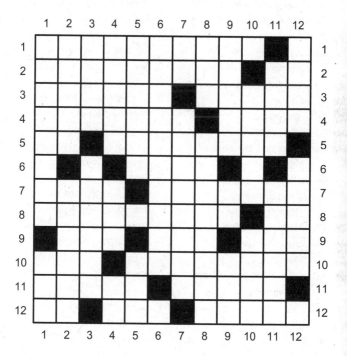

HORIZONTAL

1. Personne qui fait des bottes (de foin, de paille, de fleurs) — Vieux oui.
2. Brosse pour les bouteilles.
3. Qui rend service — Avive.
4. Voltampère — Ornement en forme d'œuf — Contraction de « à le ».
5. Disparaîtras.
6. Raide — Esclave.
7. Partisan de l'innéisme — Couchette.
8. Division du temps — Aspirer.
9. Cent-cinquante — Qui concernent l'utérus.
10. Dérapes — Radon.
11. Courroies — Mèche de cheveux.
12. Première page — Absence de salive.

VERTICAL

1. Réunion où l'on boit beaucoup — Produit du houx.
2. Petite flûte — Tribu.
3. Pronom familier — Laine d'agneau.
4. Magnoliacée d'Amérique — Septième note.
5. Mère d'Abel — Exécrable.
6. Mesure chinoise — D'une locution signifiant « dès maintenant » — Préfixe qui multiplie par un billion.
7. Qui semble avoir déteint — Ouvrages présentés en vue des grades universitaires.
8. Après — Entre la et do.
9. Éructation — Aluminium — En Russie, la commune paysanne.
10. Nickel — Officiel.
11. À lui — Friandise au sucre d'érable — Il vaut 3,1416.
12. Récipient en terre réfractaire — Égoïne.

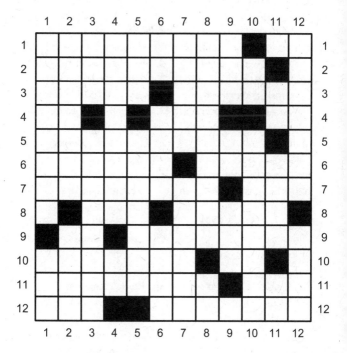

HORIZONTAL

1. Que l'on ne peut oublier.
2. Séance théâtrale — Crédule.
3. Partisan des États du Sud — Viscère qui filtre le sang.
4. Évacua son urine — Intituler.
5. Regimbons — Longue et étroite pièce de bois.
6. Qui constitue une limite.
7. Vieux oui — Dont la barbe est coupée — Préfixe signifiant « à moitié ».
8. Céréale qui pousse sur un sol très humide — Terrains que la mer laisse à découvert en se retirant.
9. Divinité féminine — Plant issu d'un semis.
10. Relatif à l'orbite de l'œil — Richesse.
11. Se trouvera — Associé — Acceptation.
12. Nommé par élection — Combiner avec l'oxygène.

VERTICAL

1. Né de — Courbure de la colonne vertébrale.
2. Qui procure la nourriture.
3. Maladie de la vigne — Mammifère d'Afrique.
4. Installation sanitaire — Zone externe du globe.
5. Monnaie d'or de l'Empire byzantin — Armée féodale.
6. Filet (anglicisme) — Voisin de la daurade — Liquide transparent.
7. Indique une addition — Amoncellement — Fille d'Harmonie.
8. 52 semaines — Oiseau sacré pour les anciens Égyptiens — Coût.
9. Perdrix.
10. Plante grimpante — Alcoolique anonyme — Gadolinium.
11. Cuvette — Minimise.
12. Consigner par écrit.

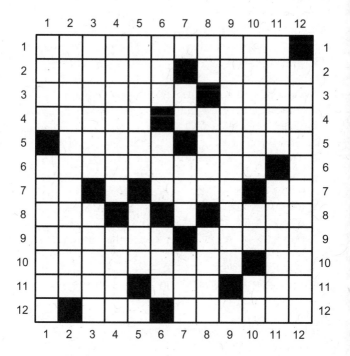

HORIZONTAL

1. Chien originaire de l'Arctique — Insulte.
2. Monnaie danoise — Condamnation à l'exil — Petit de l'âne.
3. Inhabituel — Particule — Jeu chinois.
4. Action d'établir une nouvelle imposition.
5. En outre — Satellite de la Terre — Mille-cent.
6. Ensemble de deux pages — Esprit.
7. Entrée d'une maison — Qui manifeste un sentiment de supériorité.
8. Singe-araignée — Petit rongeur voisin du muscardin.
9. Spectacle japonais — Personne qui pratique le sport de la luge — Mesure temporelle.
10. Élément de canalisation profilé — Insecte adulte apte à se reproduire.
11. Peut se faire à l'arc — Amnésie motrice.
12. Serein — Construction animale — Venu au monde.

VERTICAL

1. Qui remplit d'effroi.
2. Oiseau rapace — Entière.
3. Raisonnable — Force associée au yang.
4. Mêler avec du miel.
5. Ytterbium — Clarté.
6. Devenu mou — Passereau tacheté de bleu.
7. Pas usitée — Palladium.
8. Consacré par une onction liturgique — Recevoir la déposition de.
9. Cercle extérieur d'une roue — Édit du souverain dans l'Empire ottoman.
10. Chiffre — Atmosphère — Ligne de symétrie.
11. Eau-de-vie — Influé.
12. Émettre — La Nativité.

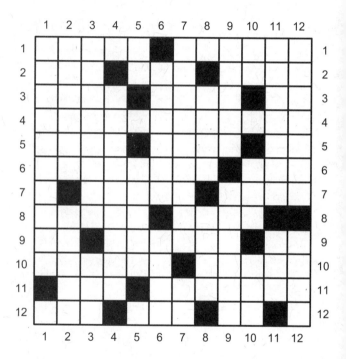

HORIZONTAL

1. Perturbante.
2. Cabane — Souvent servie en salade.
3. Partie de la tête — Bien appris.
4. Roulement de tambour — Panthère.
5. Qualité — Elle tue avec une arme à feu.
6. Dix dizaines — Col.
7. Mammifère d'Afrique rayé de noir ou de brun — Membrane de l'œil.
8. Contredit — Avant si — Ensemble des annonces que fait le prêtre.
9. Très courte.
10. Résultat d'une action — Dispersée.
11. À lui — Cérémonial — Hymne en l'honneur d'Apollon.
12. Cotonnade — Bismuth — Saint.

VERTICAL

1. Ponction de la cavité pleurale.
2. Habitante de la campagne — Vaniteux.
3. Enlève — XI.
4. Désidérabilité — Il transmet des messages nerveux.
5. Crie, en parlant du mouton — Cas des langues à déclinaison exprimant la séparation, l'éloignement, l'origine.
6. Diviserai en lots — Double règle.
7. Étoffe de soie et de laine — Issue.
8. Exclamation enfantine — Mesure agraire — Vitalité.
9. Coiffure du pape — Iridium — Pomme.
10. Indique une liaison — Commissionnaire.
11. Usages — Attention — Tamis.
12. Par bonheur.

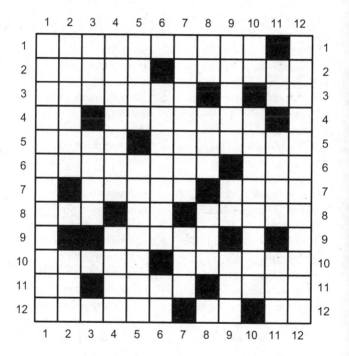

HORIZONTAL

1. Empreintes de majesté.
2. Dépasse la mesure — Fleur printanière à bulbe.
3. Qui ont la forme des feuilles de myrtes.
4. Unité de sensibilité pour les émulsions photographiques — Insecte des eaux — Masse de pierre.
5. Notre-Seigneur — Moitié — Son fruit est un akène.
6. Courroux — Effectuais un métré.
7. Diminution des globules rouges du sang — Radium — À toi.
8. Cardigan — Plancher — Erbium.
9. Partie d'une poulie — Allongiez le pas (v. pr.).
10. Introduction du pénis dans le vagin.
11. Pièce de la charrue — Désavoué.
12. Puma — Fait du bruit en reniflant, en parlant d'un animal.

VERTICAL

1. Mère — Insecte vivant sur le chêne et le peuplier.
2. De l'Abyssinie.
3. Proféra des jurons — Raconter.
4. Levant — Division de la Grèce.
5. Fleuve de France — Partie de la rhétorique.
6. Épouse — Blessant.
7. Chimère — Tronc des palmiers.
8. Affluent de la Seine — Nombre de mois dans un trimestre.
9. Petit avion — Verbales.
10. Chaîne de montagnes — Métal d'un blanc bleuâtre.
11. Sulfate naturel hydraté de magnésium — Vieux oui.
12. Désigne la troisième personne — Distinction décernée dans le domaine du cinéma — Issue.

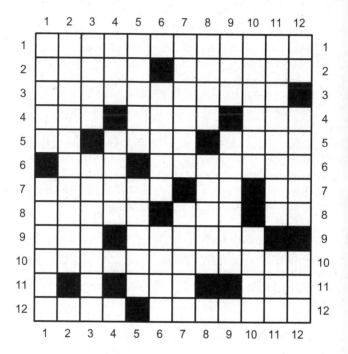

HORIZONTAL

1. Stérilisera.
2. Amérindien — Bête.
3. Argent — Gorge — Cube.
4. Tailler des rudentures
   — Liquide jaunâtre résultant
   d'une infection.
5. Colère — Cérium — Meuble.
6. Blasphémerais — Symbole
   de l'or.
7. Aspect — Point cardinal.
8. Carte — Rubidium — Engrais.
9. Passe au tamis — Amoureux.
10. Indigent — Comptable
    agréé.
11. Division du temps — Rigolard
    — Quelqu'un.
12. Presser — État de qqn dont
    l'organisme fonctionne bien.

VERTICAL

1. Ritualismes.
2. Relatif aux augures — Zone.
3. Strontium — Rétrograder.
4. Robe — Cosaque.
5. Émettre — Flâne.
6. Mesurer du bois — Mélodie.
7. Séparation des cheveux
   — Poupon.
8. Passivité — Indique
   une addition.
9. Titre anglais — Garantira.
10. Éminence — Plomb — Choix.
11. Langue râpeuse chez les
    mollusques — Étoffe croisée
    de laine.
12. Machine-outil — Bourricot.

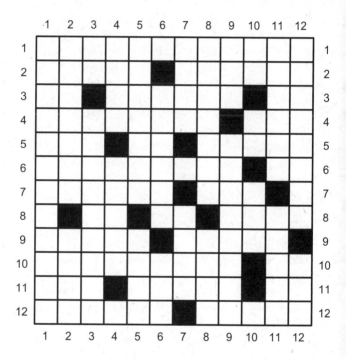

HORIZONTAL

1. Il sert à mesurer la pression osmotique — À toi.
2. Sportif qui participe à une course — Virage.
3. Portée à causer du trouble.
4. Mesure agraire — Obstiné — Coupé tout près de la peau.
5. Complètement.
6. Au début de la gamme — Notre-Seigneur — Pierre d'aigle.
7. Iota — Aigriras.
8. Catégorie — Métal précieux — Caesium.
9. Sans demeure fixe — Répétition d'un son.
10. Libre et hardie, sans être obscène — Marée.
11. Sans gêne — Ruminant andin — Rhénium.
12. Laize — Regimber — Étoile.

VERTICAL

1. Polyèdre à huit faces — Mesure employée en géodésie.
2. Hypocrisie.
3. Petit mur — Amoureux.
4. Fleuve du Languedoc — Réaliser l'innervation d'un organe.
5. Troupes de chiens — Navigateur portugais du XVe siècle.
6. Mathématicien suisse (1707-1783) — Propre à la vieillesse.
7. Support — Empereur de Russie.
8. Rang — Éminence.
9. Levant — Allonge — Champion.
10. Défraîchir — Centimètre.
11. Équerre — Ligotera.
12. Ville d'Abitibi — Tordre (quelque chose) pour en extraire l'eau.

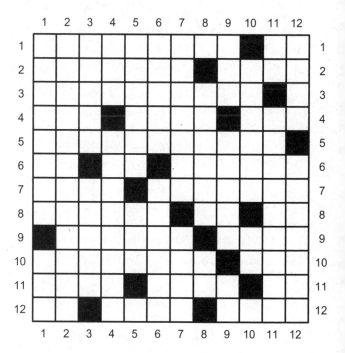

HORIZONTAL

1. Instantanée — Le matin.
2. Annonce d'un événement — Page couverture.
3. Conflit — Gaz rare de l'atmosphère.
4. Excrément — Exerce un attrait.
5. Exclamation enfantine — Auréoler — Dette.
6. Colère — Pluie — Influencer.
7. Prénom du comédien Fruitier — Punir avec rigueur.
8. Véritable — Poivrier de Malaisie.
9. De belle humeur — Corps de tout blason.
10. Guêpe — Monument de la tribu.
11. Lieux sales et humides — Cube.
12. Qui est détourné du réel — Suspension de qqch. de pénible.

VERTICAL

1. Étude d'un projet industriel sous tous ses aspects.
2. Sénevé — Fatigué.
3. Changer de voix — Dégermer.
4. Commune de la Mayenne — Malade mental.
5. Ultime — Prune.
6. Terre entourée d'eau — À moi — Un des meilleurs généraux de Charles VII.
7. Aluminium — Fais un usage excessif de.
8. Ensemble des phrases constituant un écrit — Décapiter.
9. À l'avant du navire — Audacieux.
10. Associé — Cardigan.
11. Tourner au nord — Unité monétaire du Ghana.
12. Animateur — Bouillon à base de poisson.

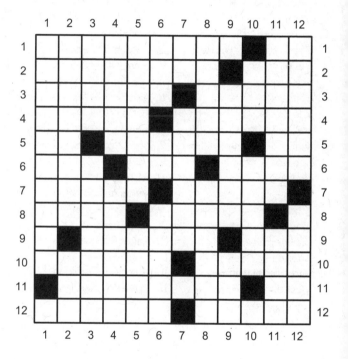

HORIZONTAL

1. Défaut d'adaptation aux exigences de la vie en société.
2. Tache d'humidité — Gallium.
3. Fruit du mûrier — Pas large.
4. Rendre veule — Voltampère.
5. « Nouveau » — Contraire à l'amitié.
6. Ville de Grande-Bretagne — Relatif à l'anus.
7. Nuancer — Champêtre.
8. Fera revenir dans le pays d'origine.
9. Propre — Suffisamment.
10. Chagrin — Sans engrais ni pesticides — Instrument de dessinateur.
11. Audition — Exclure.
12. Nombre de jours du mois d'avril — Côté du navire sous le vent.

VERTICAL

1. Qui est intérieur à un être — Biens de la mariée.
2. Qui est connu depuis peu — Frousse.
3. Entourer d'une auréole — Personne bavarde.
4. Être suprême — De l'Iran.
5. Aluminium — Textile — Gaz.
6. Pluriel — Qui méconnaît les bienfaits reçus — Béryllium.
7. Zigouillera — Note ancienne — Baryum.
8. Adresse — Elle présente un enfant au baptême.
9. Partie finale d'un verbe.
10. Vés — Avant nous.
11. Relatif à l'ogive — Rétroviseur.
12. Où l'on est né — Tissu utilisé pour les compresses.

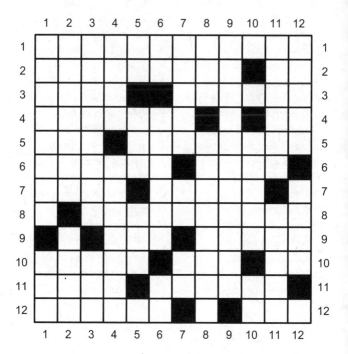

HORIZONTAL

1. Qui gazouille.
2. En conséquence — Romancier.
3. Pris en bloc — Morceau de terre compacte.
4. Obtint — Eau-de-vie.
5. Contraire au bien — Détache des fruits de leurs tiges.
6. Blessant — Mesure de l'âge.
7. Allonger — Problème.
8. Quantité de bois — Orne.
9. Deux — Qui souffle du nord pendant l'été.
10. Entoure — Astate.
11. Perroquet — Couleur dominante.
12. Sommeil pathologique profond — Brome.

VERTICAL

1. Garantie — Relatif à la vessie.
2. Fabricante d'allumettes.
3. Classification méthodique des animaux — Vermine.
4. Fleuve du Languedoc — Voleur.
5. Utilisas — Cheville utilisée pour surélever la balle — Septième lettre.
6. Durillon — Richesse.
7. Après sol — Parasite des arbres — Étendue d'eau stagnante.
8. Rayonnement — Pièce de charpente.
9. Manque de force — Post-scriptum — Laize.
10. Nettoyé — État des Antilles.
11. Relatif à la tutelle — Terbium.
12. Période — Honorer en brûlant de l'encens.

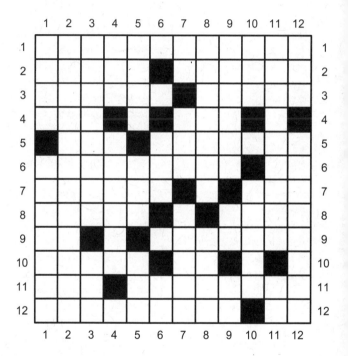

HORIZONTAL

1. Absolument.
2. Faite plusieurs fois — Paresseux.
3. Animal domestique — Endommagé par le feu.
4. Eux — Partie d'une bibliothèque.
5. Elle récure.
6. Changer la couleur — Œstrus.
7. Germanium — Recueil de bons mots — Creuse une rainure.
8. Bâtonnet de pomme de terre frit — Après tu.
9. Contenu d'un bol — XIII.
10. Furie — Zébrure — Signal de détresse.
11. Produit des volailles — Dépossèdent.
12. Qui est digne de Néron, de sa cruauté — Brame.

VERTICAL

1. Herbe à grandes feuilles — Caisse servant à renforcer une berge.
2. Participant des olympiques — Lisière d'une forêt.
3. Il croit en l'existence d'un Dieu créateur — Organe des végétaux.
4. Colère — Coiffure du pape — Homme de théâtre italien (Prix Nobel 1997).
5. Ouvrier chargé de l'entretien des routes.
6. Astate — Lac volcanique d'Auvergne — Pomme.
7. Mesure chinoise — Berceau — Distend.
8. Déterminer le prix de — Rognon.
9. Mamans — Cri de douleur.
10. Upériser.
11. Vient au monde — Premier entier positif — Étendue de terrain.
12. Récipient qui servait de fosse d'aisances mobile — Estonien.

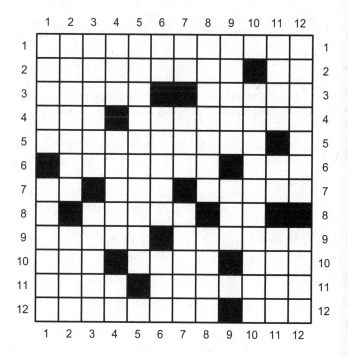

HORIZONTAL

1. Cylindre de tabac — Avant sol.
2. Relatif à l'état d'Adam avant le péché — Partie du cheval.
3. Elle nettoie ou teint les vêtements.
4. Sert à appeler — Cas des langues à déclinaison exprimant la séparation, l'éloignement, l'origine.
5. Caesium — Colline artificielle — Sans végétation.
6. Attire à lui — Nids.
7. Assonance — Fabriquera.
8. Touffu — Gadolinium.
9. Lanthane — Cube — Première personne — Anion.
10. Nettoyage.
11. Agent secret — Ils.
12. En dehors — Fer.

VERTICAL

1. Église.
2. Opinion — Badiné — Pointe de la langue.
3. Un peu ivre — Marchandise — Ancienne armée.
4. Diminution de la mémoire — Floué.
5. Ricane — Tentation.
6. Cercle imaginaire — Cela va de...
7. Mausolée islamique — Chef-lieu de canton du Gard.
8. Enlevai la teille — Sert à lier.
9. Ville de Grande-Bretagne.
10. Sculpture — Exprime par écrit.
11. Perdre de la vitesse — Zygote.
12. Carte — Bâton de charbon de bois — Xénon.

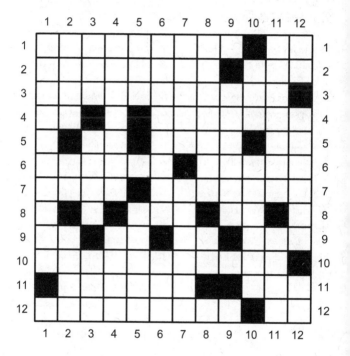

HORIZONTAL

1. Relatif aux vaisseaux sanguins.
2. Reptile — Étoffe originaire de l'Inde.
3. Masse de pierre — Naïve.
4. Lieu de culte de sikhs — Celtium.
5. Aussi — Après sol — Retirer.
6. Cigare — Écrira à l'aide d'un clavier.
7. Effectuer un parcours à skis.
8. Éminence — Émotion — Cuivre.
9. Oui — Entamer le bord de.
10. Adulte — Met à sec.
11. Instrument à lame — Événement incertain.
12. Orignal — Étoffe brune — Badiné.

VERTICAL

1. État américain — Gratitude.
2. Rongeur sud-américain — État d'esprit.
3. Ajoutons du miel — Plaça dans un espace réduit.
4. Cela — Qui comporte deux unités — Refus.
5. Seul — Partie de la semaine.
6. Conforme aux règles juridiques — Au tennis, coup très haut — Rubidium.
7. Chapelle.
8. Habitation de sapin — Avant midi — Barre fermant une porte.
9. Avenue — Couvercle du sporogone des mousses.
10. Roter — Dame.
11. Ses fleurs ressemblent à des étoiles — Distinction décernée dans le domaine du cinéma.
12. Infusion — Bois du cerf.

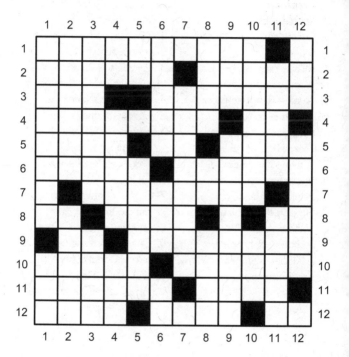

HORIZONTAL

1. De l'une des Petites Antilles.
2. On en fait du gruau — Vautour.
3. Mettez en liste — Désir soudain.
4. Muscle cardiaque — Vapeurs d'eau.
5. Quelqu'un — Lieutenant — Ancien conjoint.
6. Mécréant — Commune du Morbihan.
7. Manipulation — Divinité grecque ou symbole chimique n° 32.
8. Support d'un navire — Inflammation de l'uvée.
9. Sadique — Charcuter.
10. Hélium — Extrémité de l'aile.
11. Semblable à l'agate — Associé.
12. Araméen — Garnir un voilier.

VERTICAL

1. Écrivain mauricien de langue française (1902-1981) — On y passe le fil.
2. Appareil construit par Boeing — Raccourci.
3. Églantine — Partie d'un vélo — Le matin.
4. Qui possède juridiquement qqch. — Titane.
5. Passivité — Nourriture du veau.
6. Odorat — Touché — Baie du Japon.
7. Qui fait qqch. sans être rémunéré.
8. Cuisinier — Insecte des eaux.
9. On y dépose son bulletin de vote — Canal côtier.
10. Petit toit — Percé.
11. Échassier — Qui se rapporte à la mer Égée.
12. Suinte — Froment — Iridium.

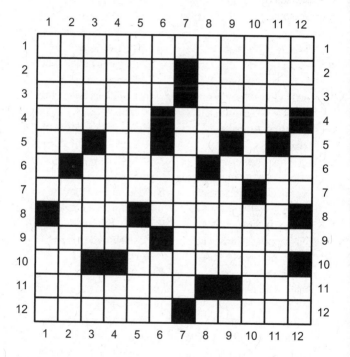

HORIZONTAL

1. Échouer — Plante décorative aux fleurs en forme d'étoiles.
2. Râpeux — Tracas — Double règle.
3. Sensible à l'érosion — Chef-lieu de canton du Rhône, banlieue est de Lyon.
4. Divagation — Le non-être.
5. Bois noir — Qui est à toi.
6. Gloussé — Amanite des Césars.
7. Se dit d'un système optique — Désert de dunes.
8. Épagneul — Additionné d'iode.
9. Espace de terre — Démonstratif masculin.
10. Métal précieux — Rosier sauvage.
11. Refus — Vapeur d'eau — Cube.
12. Fonction grammaticale — Production de la plante qui apparaît après la fleur.

VERTICAL

1. Capitale du Nouveau-Brunswick.
2. Antilope — Demi-dieu.
3. Star — Atmosphère — À découvert.
4. Qui produit de la résine.
5. Courroux — Animal intermédiaire entre le cheval et l'âne.
6. Plante voisine du navet — Vieux oui — Très petite île.
7. Note ou île — Emmenas de force.
8. Paresseux — Fromage corse — Partie d'une église.
9. Membre de sectes religieuses des débuts de l'islam — Être suranné.
10. Suite de choses sur une même ligne.
11. Émerveiller — Unité monétaire du Ghana.
12. Revenu annuel — Terre préparée à recevoir les semailles d'automne.

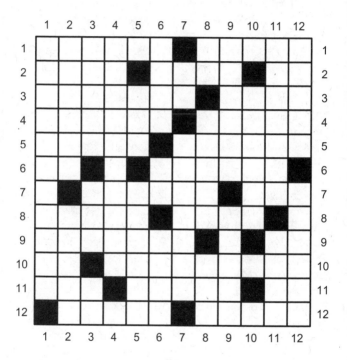

HORIZONTAL

1. Pleurera sans raison.
2. Arbre à écorce lisse et à bois blanc — Faire des bonds.
3. Inaccoutumé.
4. « Avec » — Construction animale — Tibia — Moitié de domino marqué d'un seul point.
5. Événement le plus souvent fâcheux — Sainte.
6. Mouvement impétueux — Parfait.
7. En outre — Sortie d'un organe de sa cavité.
8. Période — Projecteur de lumière placé à l'avant d'un véhicule.
9. Mépriser — Dégobillé.
10. Contesta — Mettre au trou.
11. Existions — Paroi.
12. Tamise — Poisson tropical vorace.

VERTICAL

1. De Phocide.
2. Enseignement donné en une séance par un professeur — Soigna.
3. Ainsi de suite — Concevrais.
4. Métal faiblement radioactif (symbole U) — Élément du squelette.
5. Habite — Né après un de ses frères.
6. Concept — L'un des lieutenants de Hitler.
7. Échelle — Crier... sur le baudet.
8. Chapeau de paille — Forme ancienne de loup.
9. Ancien peuple nomade originaire des steppes du sud de la Sibérie — Allée carrossable.
10. Période de chaleur — Monnaie d'Extrême-Orient — Ulmacée.
11. Racontai — Chiffre.
12. Argon — Combinaison du sélénium avec un corps simple.

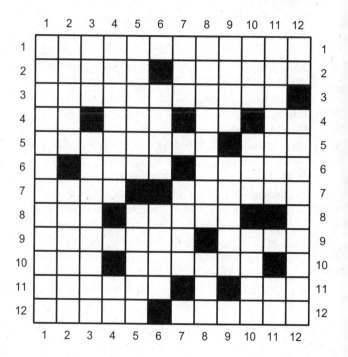

HORIZONTAL

1. Remplie — Tuyau (d'arrosage).
2. Donner un rendez-vous à qqn — Mœurs.
3. Elle habite un vieux continent.
4. Oléacée au bois clair, souple et résistant — Chandelle.
5. Partie de mer avancée dans les terres — Poulie.
6. Contrat de location — Utilisé — Particule jointe au oui.
7. Versifions — Poisson d'eau douce.
8. Briser le goulot.
9. Conteste — Au tennis, coup très haut — Pascal.
10. Postérieur — Marque le lieu.
11. Ville de Floride.
12. Aspira et rejeta l'air des poumons — Poisson plat.

VERTICAL

1. Construire avec des éléments fabriqués à l'avance.
2. À eux — Animal édenté.
3. Groupas (des unités militaires) par régiment.
4. Étude des représentations figurées.
5. Aconit des montagnes — Nuancerai.
6. Période — Déflagre.
7. Trépas — Docteur de la loi musulmane.
8. Consacré — Aveuglé.
9. Décorer — Il est en revers au bas d'une manche.
10. Ronger — Mégaoctet.
11. Symbole de l'or — Île de l'archipel des Mariannes — Cil.
12. Lichen — Mâchoires à vis.

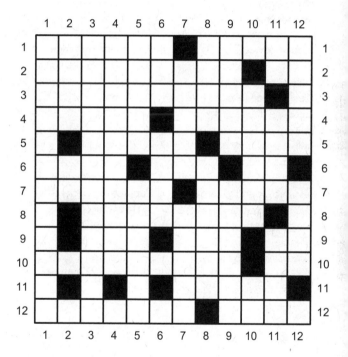

HORIZONTAL

1. Fabrication d'objets en bois.
2. Habile — Équerre.
3. Réunion mondaine qui a lieu le soir — Constituant d'un propergol.
4. Brûlante — Vagabonda.
5. Frère servant — Activité d'achat et de revente.
6. Chacune des deux portions renflées de l'estomac.
7. Préfixe signifiant « à moitié » — Sainte — Pascal.
8. Astate — Personne qui ressemble parfaitement à une autre — Sorte de pioche.
9. Image — Petite brochure.
10. Phobie — Fière.
11. Reconstruire — Symbole de l'or.
12. Border une étoffe — Prince musulman.

VERTICAL

1. Qui constitue la base de qqch. — Récapitulation.
2. Flair — Infusion.
3. Métal blanc (n° 77) — Grizzli.
4. Groupe de sporanges — Qui tire sur un brun jaunâtre.
5. Qui est à lui — Lac pyrénéen — Chrome.
6. Décapiter — Cent mètres carrés.
7. Article masculin — Crier très fort (v. pr.).
8. Inflammation du tissu osseux.
9. Rapetissée — Terrasse sur la paroi d'une montagne.
10. Chagrin — Prairie.
11. Métal précieux — Surveillerai.
12. Morceau — Comédien.

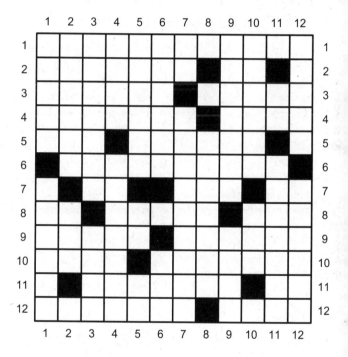

HORIZONTAL

1. Avec grâce.
2. Globetrotteuse — Fer.
3. Osselet de l'oreille — Poisson du genre labre.
4. Noyau de la Terre — Monarque.
5. Erbium — Se dit d'un corps qui adsorbe.
6. Pistolet à rafales.
7. Fleuret — Qui est considéré comme ce qu'il y a de meilleur.
8. Venu au monde — Partie immergée de la coque d'un navire — Zirconium.
9. Triage — Force surnaturelle.
10. Prédateurs ou charognards.
11. Épuisette — Refus — Tellure.
12. Affrontement — Sucette.

VERTICAL

1. Qui relate des événements en suivant le seul ordre chronologique.
2. Fraction d'un terrain destiné à être vendu par parcelles — Déraper — Cuivre.
3. Puma — Indique la deuxième personne — Île.
4. Émoustillé — De ses noix, on extrait le cachou — Platine.
5. Carnet de rendez-vous — Incroyant.
6. Cerisier sauvage.
7. Actionné — Extrêmement.
8. Monnaie anglaise d'argent — Héros du Déluge.
9. « Nouveau » — Tout simplement.
10. Sel de l'acide urique — Arsenic.
11. Partie supérieure de la face humaine — Zinc — Terre-Neuve.
12. Mer entre l'Europe et l'Afrique.

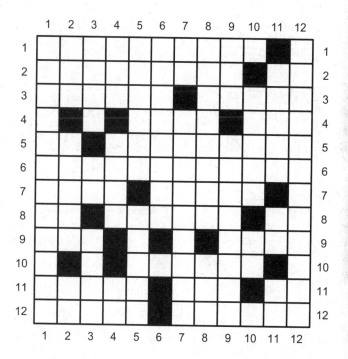

SOLUTIONS

Nº 1

	1	2	3	4	5	6	7	8	9	10	11	12
1	P	L	A	N	T	E	S		R	I	E	L
2	L	A	B	E	L	L	E		O	N	I	
3	A	B	O	T		L	A	C	H	U	T	E
4	I	O	N		P	E	N	T	A	N	E	
5	S	U	D		O		T		R	I	T	A
6	A	R	A	L	I	A		C	T		A	N
7	N		M		S	I	A	L		T	I	N
8	C	A	M	I	O	N		A	I	L		E
9	E	R	E		N	O	E	U	D		L	
10		T	N	T		U		D	A	V	I	D
11	B	E	T	O	N		T	E		A	M	I
12	I	L		M	A	K	I		C	H	A	T

Nº 2

	1	2	3	4	5	6	7	8	9	10	11	12
1	H	O	L	O	P	R	O	T	E	I	N	E
2	U	R	A	N	I	U	M		U	O		
3	M	A	R	E	E		B	Y	S	S	U	S
4	A	L	E	R	T	E	R		K	A	M	I
5	N	I		E	R	M	I	T	A	G	E	
6	I	S	S	U	E		N	A	R	I	N	E
7	S	E	P	S		D	E	B	I	N	E	R
8	A	R	R	E	T	A		L	E	E		O
9	T		A		A	R	I	E	N		C	D
10	I	N	T	E	R	N	A	T		V	I	U
11	O	U		R	O	E	S	T	I		I	N
12	N	A	O	S		S	I	E	V	E	R	T

Nº 3

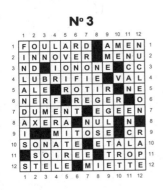

	1	2	3	4	5	6	7	8	9	10	11	12
1	F	O	U	L	A	R	D		A	M	E	N
2	I	N	N	O	V	E	R		M	E	N	U
3	N	D		I	O	N	O	N	E		C	C
4	L	U	B	R	I	F	I	E		V	A	L
5	A	L	E		R	O	T	I	R		N	E
6	N	E	R	F		R	E	G	E	R		O
7	D	U	M	E	N	T		E	G	E	E	N
8	A	X	E	R	A		N	U	L		N	
9	I		M	I	T	O	S	E		C	R	
10	S	O	N	A	T	E		E	T	A	L	A
11		S	O	I	R	E	E		T	R	O	P
12	S	T	E	L	E		M	I	E	T	T	E

Nº 4

	1	2	3	4	5	6	7	8	9	10	11	12
1	M	E	S	E	N	T	E	N	T	E		A
2	O	L	I	V	I	E	R		A	M	E	R
3	N	A	S	I	L	L	E	U	R		Y	B
4	O	B		D	O		S	T	E	R	A	
5	L	O	G	E	T	T	E		A	V	A	L
6	I	R	E		I	O	N	O	N	E		E
7	T	E	R		Q	U	E	T	E		P	T
8	H		C	O	U	T	R	E		O	I	E
9	E	P	U	R	E		G	N	O	S	E	
10		A	R	T		G	I	T	E		T	B
11	O	R	E	I	L	L	E		I	V	R	E
12	R	I		E	A	U		F	L	U	E	R

SOLUTIONS

N° 5

	1	2	3	4	5	6	7	8	9	10	11	12
1	T	R	E	F	O	N	D	S		B	L	E
2	A	U	D	E	S	S	O	U	S		E	X
3	S	T	E	R	E		U	R	U	B	U	
4		A	N	O	R	E	X	I	E		R	B
5	O	B		C	A	P		N	E	G	R	E
6	C	A	F	E	I	E	R	E		R	E	G
7	A	G	E		E	L	A	R	G	I	R	A
8	R	A	M	E		E	N		U	S		Y
9	I		I	N	G	R	A	T	E		N	E
10	N	O	N	C	E		T	E	N	E	U	R
11	A	S	I	R		C	R	E	O	L	E	
12		A	N	E	M	I	E		N	U	E	R

N° 6

	1	2	3	4	5	6	7	8	9	10	11	12
1	R	E	V	E	R	E	N	C	I	E	L	
2	O	R	A	L	E	M	E	N	T		A	R
3	M	U	R	A	L		F		I	V	R	E
4	A	P	I		U	N		A	N	I	M	E
5	I	T	A	L	I	E	N	N	E		O	R
6	N	I	T	E	R	O	I		R	A	Y	A
7	E	V	E		E	T	A	L	A	G	E	
8		E	U	X		T	I		I		R	D
9	F		R	E	G	I	S	T	R	E		E
10	I	F		N	O	E		S	E	R	A	C
11	L	I	C	O	U		T	A		G	R	E
12	S	A	I	N	T	P	E	R	E		A	S

N° 7

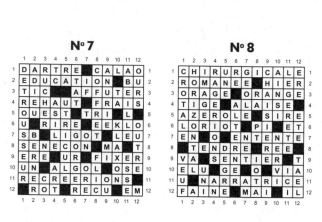

	1	2	3	4	5	6	7	8	9	10	11	12
1	D	A	R	T	R	E		C	A	L	A	O
2	E	D	U	C	A	T	I	O	N		B	U
3	T	I	C		A	F	F	U	T	E	R	
4	R	E	H	A	U	T		F	R	A	I	S
5	O	U	E	S	T		T	R	I		L	
6	U		R	I	R	E		E	E	K	L	O
7	S	B		L	I	G	O	T		L	E	U
8	S	E	N	E	C	O	N		M	A		T
9	E	R	E		U	R		F	I	X	E	R
10	U	N		A	L	G	O	L		O	S	E
11	R	E	C	R	E	E	R	I	O	N	S	
12		R	O	T		R	E	C	U		E	M

N° 8

	1	2	3	4	5	6	7	8	9	10	11	12
1	C	H	I	R	U	R	G	I	C	A	L	E
2	R	O	M	A	N	E	E		H	I	E	R
3	O	R	A	G	E		O	R	A	N	G	E
4	T	I	G	E		A	L	A	I	S	E	
5	A	Z	E	R	O	L	E		S	I	R	E
6	L	O	R	I	O	T		P	I		E	T
7	E	N		O		E	N	T	E	N	T	E
8		T	E	N	D	R	E		R	E	E	
9	V	A		S	E	N	T	I	E	R		T
10	E	L	U		G	E		O		V	I	A
11	U		N	A	R	R	A	T	R	I	C	E
12	F	A	I	N	E		M	A	I		I	L

SOLUTIONS

N° 9

	1	2	3	4	5	6	7	8	9	10	11	12
1	E	V	O	C	A	T	O	I	R	E		S
2	T	R	U	L	L	I		V	E	C	U	E
3	R	A	T	E	E		O	R	A	L		N
4	A	I	R			B	R	E	L	A	N	S
5	N		A	M	M	A	N		G	I	S	
6	G	A	G	E	U	S	E		A	R		T
7	L	U	E	U	R		R	A	R	E	T	E
8	E	T	A	L	A	I		B		R	A	T
9	M	A	N	I	L	L	E	U	R		C	I
10	E	N	T	E		E	N	S	A	C	H	E
11	N		E	R	G	O	T		N	I	E	R
12	T	E		E		N	E	I	G	E		E

N° 10

	1	2	3	4	5	6	7	8	9	10	11	12
1	R	U	G	O	S	I	T	E		G	A	O
2	E	R	O	S	I	V	E		V	E	R	S
3	P	U	R	E		R	E	F	O	R	M	E
4	E	G	E	R	I	E		L	I	M	E	R
5	R	U	T		O	S	M	O	S	E		A
6	T	A		A	N	S	E	R	I	N	E	
7	O	Y	A	T		E	L	A	N		X	E
8	I		P	O	T		O	L	A	V		N
9	R	O	U	M	A	I	N		G	O	L	F
10	E	R	R	E	U	R		S	E	U	I	L
11		G	E		P	I	P	O		G	R	E
12	H	E	R	P	E	S		C	R	E	E	R

N° 11

	1	2	3	4	5	6	7	8	9	10	11	12
1	T	E	L	E	V	I	S	E	R		O	S
2	A	B	O	M	I	N	A	T	I	O	N	
3	N	O	U	U	R	E		H	E	C	T	O
4	T	U	E		E	R	R	E	U	R		R
5	O	I	S	E		T	E	R	R	A	I	N
6	T	L		B	O	I	T	E		I	D	E
7		L	A	R	D	E	R		S	T	E	
8	M	A	R	I	E		O	P	E		E	M
9	E	N	T	E		J	U	I	V	E		O
10	U	T		T	R	A	V	E	R	S	E	R
11	L	E	G	E	N	D	E		A	O	U	T
12	E	R	O	S		E	R	E	I	N	T	E

N° 12

	1	2	3	4	5	6	7	8	9	10	11	12
1	O	R	T	H	O	D	O	X	I	E		F
2	F	O	R	E	T		B		M	O	L	E
3	F	L	O	R	A	L	E		P	L	I	E
4	R	E	N	E		S	O	R	E	L		
5	A		E	T	A	T	I	S	E		A	N
6	N	D		I	L	O	T		S	I	S	E
7	D	O	U	C	E	R	E	U	S	E		V
8	E	C	R	I	R	E		R	I	N	C	E
9		T	I	T	I		P		O	A	H	U
10	D	E		E	O	L	I	E	N		A	
11	R	U	Z		N	I	E	R		F	I	C
12	U	R	N	E		S	U	G	G	E	R	E

SOLUTIONS

Nº 13

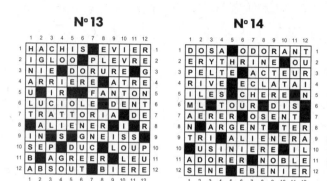

	1	2	3	4	5	6	7	8	9	10	11	12
1	H	A	C	H	I	S		E	V	I	E	R
2	I	G	L	O	O		P	L	E	V	R	E
3	N	I	E		D	O	R	U	R	E		G
4	A	R	R	I	E	R	E		A	T	R	E
5	U		I	R		F	A	N	T	O	N	
6	L	U	C	I	O	L	E		D	E	N	T
7	T	R	A	T	T	O	R	I	A		D	E
8		A	L	I	E	N	E	R		I	R	
9	I	N		S		G	N	E	I	S	S	
10	S	E	P		D	U	C		L	O	U	P
11	B		A	G	R	E	E	R		L	E	U
12	A	B	S	O	U	T		B	I	E	R	E

Nº 14

	1	2	3	4	5	6	7	8	9	10	11	12
1	D	O	S	A		O	D	O	R	A	N	T
2	E	R	Y	T	H	R	I	N	E		O	U
3	P	E	L	T	E		A	C	T	E	U	R
4	R	I	V	E		E	C	L	A	T	A	I
5	I	L	E	S		C	H	E	R	E		N
6	M	L		T	O	U	R		D	I	S	
7	A	E	R	E	R		O	S	E	N	T	
8	N		A	R	G	E	N	T		T	E	R
9	T	R	I		A	L	I	E	N	E	R	A
10		U	S	I	N	I	E	R	E		I	L
11	A	D	O	R	E	R		N	O	B	L	E
12	S	E	N	E		E	B	E	N	I	E	R

Nº 15

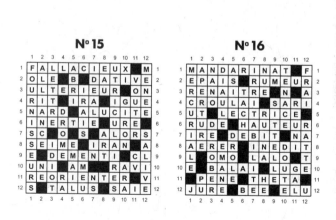

	1	2	3	4	5	6	7	8	9	10	11	12
1	F	A	L	L	A	C	I	E	U	X		M
2	O	L	E		B		D	A	T	I	V	E
3	U	L	T	E	R	I	E	U	R		O	N
4	R	I	T		I	R	A		I	G	U	E
5	N	A	R	D		A	L	U	C	I	T	E
6	I	N	E	R	T	I	E		U	R	E	
7	S	C		O		S		A	L	O	R	S
8	S	E	I	M	E		I	R	A	N		A
9	E		D	E	M	E	N	T	I		C	L
10	U	N	I		A	M		R	A	V	I	
11	R	E	O	R	I	E	N	T	E	R		V
12	S		T	A	L	U	S		S	A	I	E

Nº 16

	1	2	3	4	5	6	7	8	9	10	11	12
1	M	A	N	D	A	R	I	N	A	T		F
2	E	P	A	I	S		R	U	M	E	U	R
3	R	E	N	A	I	T	R	E		N		A
4	C	R	O	U	L	A	I		S	A	R	I
5	U	T		L	E	C	T	R	I	C	E	
6	R	U	D	E		H	A	U	T	E	U	R
7	I	R	E		D	E	B	I	T		N	A
8	A	E	R	E	R		I	N	E	D	I	T
9	L		O	M	O		L	A	L	O		T
10	E		B	A	L	A	I		L	U	G	E
11		P	E	N	E		T	H	E	T	A	
12	J	U	R	E		B	E	E		E	L	U

SOLUTIONS

N° 17

	1	2	3	4	5	6	7	8	9	10	11	12
1	V	A	L	D	O	T	A	I	N	■	S	U
2	O	R	A	I	S	O	N	■	O	S	E	R
3	I	M	I	T	E	R	■	A	M	O	M	E
4	L	I	T	O	R	N	E	■	I	L	O	T
5	I	L	E	■	A	A	R	O	N	■	I	R
6	E	L	U	■	I	D	O	L	A	T	R	E
7	R	A	S	E	■	E	D	I	L	E	■	
8	■	I	E	N	A	■	E	V	E	Q	U	E
9	F	R	■	L	I	T	R	E	■	U	■	M
10	R	E	V	E	R	S	A	■	C	I	M	E
11	I	■	I	V	■	A	■	P	E	L	E	R
12	C	E	L	E	B	R	E	■	P	A	R	I

N° 18

	1	2	3	4	5	6	7	8	9	10	11	12
1	O	R	D	I	N	A	T	E	U	R	■	J
2	C	O	U	L	E	U	R	■	V	E	L	O
3	C	U	R	E	T	T	E	■	A	V	A	L
4	I	F	E	■	T	O	T	A	L	E	■	I
5	P	■	M	Y	E	■	E	M	E	R	I	■
6	U	V	E	E	■	G	A	I	■	B	O	T
7	T	O	N	N	E	A	U	■	P	E	D	E
8	■	E	T	■	V	U	■	F	O	R	E	R
9	B	U	■	T	E	R	M	I	T	E	■	R
10	E	■	A	S	■	S	O	L	E	■	S	I
11	T	E	X	A	N	■	U	S	A	N	T	E
12	E	X	E	R	E	S	E	■	U	S	E	R

N° 19

	1	2	3	4	5	6	7	8	9	10	11	12
1	E	N	Z	Y	M	O	L	O	G	I	E	■
2	S	E	R	E	I	N	E	■	O	R	M	E
3	C	U	■	N	O	D	U	L	E	■	U	R
4	A	R	S	■	C	E	R	A	M	E	■	G
5	P	O	U	A	H	■	R	U	O	N	S	■
6	A	L	E	■	E	T	E	R	N	U	A	I
7	D	O	D	O	■	C	R	I	■	M	I	L
8	E	G	O	U	T	■	A	E	R	E	E	■
9	■	I	I	■	E	T	I	R	E	R	■	P
10	H	E	S	I	T	E	■	■	M	E	N	U
11	I	■	E	D	E	N	T	E	■	R	O	C
12	E	X	■	E	R	U	C	T	E	■	M	E

N° 20

	1	2	3	4	5	6	7	8	9	10	11	12
1	E	N	T	R	E	J	A	M	B	E	■	Z
2	X	E	R	U	S	■	P	E	U	P	L	E
3	T	A	I	E	■	P	O	N	T	I	E	R
4	R	N	■	L	A	I	T	U	E	■	M	O
5	A	T	E	L	I	E	R	■	R	E	M	■
6	S	■	R	E	M	U	E	R	■	M	E	R
7	Y	E	N	■	A	S	■	I	D	E	■	E
8	S	T	E	R	N	E	■	V	O	T	I	F
9	T	A	■	A	T	■	A	I	L	■	V	A
10	O	M	B	R	E	T	T	E	■	C	R	I
11	L	A	I	E	■	I	R	R	I	T	E	R
12	E	S	T	■	C	R	E	E	R	■	S	E

118

SOLUTIONS

N° 21

	1	2	3	4	5	6	7	8	9	10	11	12
1	I	N	A	C	C	E	P	T	A	B	L	E
2	M	O	D	E	R	N	I	S	M	E		T
3	P	I	O	L	E	T		U		N	U	A
4	A	S	S	E	O	I	R		S	A	R	I
5	L	E		B	L	E	U	A	T	R	E	
6	P		F	R	E	R	E		I	D	E	E
7	A	B	R	I		E	L	I	M	E		Q
8	B	O	I	T	E		L	E	U		P	U
9	L	I	M	E	R		E	N	L	I	S	E
10	E	T	E		I	R		A	I	L		R
11		E	R	I	G	N	E		N	O	I	R
12	G	R	A	V	E		U	R	E	T	R	E

N° 22

	1	2	3	4	5	6	7	8	9	10	11	12
1	G	I	B	E	L	O	T	T	E		S	T
2	A	N	I	M	A	S		A	V	O	I	R
3	S	C	L	E	R	E	U	S	E		T	U
4	P	R	E	U	V	E		S	I	T	U	A
5	I	O		T	E		C	I	L		E	N
6	L	Y	R	E		B	O	L	L	A	R	D
7	L	A	I		M	A	N	I	E	R	E	
8	A	N	G	L	A	I	S		R	E	Z	E
9		T	U	I	L	E	A	U		N		T
10	E		E	V	E		C		P	E	S	O
11	P	O	U	R		I	R	I	S		O	C
12	I	R	R	E	F	L	E	X	I	O	N	

N° 23

	1	2	3	4	5	6	7	8	9	10	11	12
1	D	Y	S	L	E	X	I	E		O	S	T
2	E	P	O	U	S	E	R		E	R	I	E
3	V	E	R	S	O		L	A	P	I	N	
4	I	R	E		P	H	A	L	A	N	G	E
5	N	I	L	L	E		N	E	T		E	X
6	E	T		O		A	D	V	E	R	S	E
7	T	E	M	P	O	R	A	I	R	E		C
8	T		A	I	R	A	I	N		C	R	U
9	E	P	I	N	E		S	E	C	R	E	T
10		U	S		M	N		R	E	U	N	I
11	E	C	O	B	U	E	R		P		N	O
12	S	E	N	E	S	T	R	E		Y	E	N

N° 24

	1	2	3	4	5	6	7	8	9	10	11	12
1	C	R	A	I	N	D	R	E		A	M	E
2	O	U	T	R	E		O	C	E	L	O	T
3	N	E		R	I	C	T	U	S		M	A
4	S	L	O	U	G	H	I		Q	U	I	
5	C	L		P	E	I	N	T	U	R	E	S
6	R	E	C	T	U	M		H	I	E		U
7	I		R	I	X	E	S		L	E	U	R
8	P	R	A	O		R	E	A	L		N	P
9	T	E	I	N	T	E	R	I	E	Z		R
10	I	V	E		R		R	R		O	B	I
11	O	U		M	E	S	A		B	O	I	S
12	N	E	C	E	S	S	I	T	E		C	E

SOLUTIONS

Nº 25

	1	2	3	4	5	6	7	8	9	10	11	12
1	V	O	L	T	I	G	E	M	E	N	T	
2	A	L	U	M	N	A	T		T	A	I	S
3	S	I	X		S	T	A	T	O	R		E
4	E	V	E	Q	U	E		R	U	R	A	L
5	L	E		U	R	A	N	I	F	E	R	E
6	I		L	E	G	U	E		F	R	I	C
7	N	O	I	S	E		T	E	E		E	T
8	E	P	I	T	R	E		B	R	U	N	I
9		I			G	E	A	I		N	O	
10	E	N	T	O	L	A		H	O		E	N
11	P	E	A	N		L	A	I	N	A		N
12	I	L	S		R	E	U	S	S	I		E

Nº 26

	1	2	3	4	5	6	7	8	9	10	11	12
1	M	A	R	C	H	E	R		G	A	L	A
2	E	V	O	L	U	T	I	O	N		O	U
3	M	E	C	A	N	O		T	O	U	T	
4	O	N		M	E	C	H	O	N	S		D
5	R	I	P	E			A	L		A	G	E
6	I	R	R	U	P	T	I	O	N		O	S
7	S		O	R		M	E	G	O	T		A
8	E	V	E		L	E		I	R	A	I	S
9	R	E	D	R	E	S	S	E	M	E	N	T
10	A	R	R	I	V	E	E		A	L		R
11	I	T	E	M			P	A	L		C	E
12	T	U		E	M	E	T	T	E	U	R	

Nº 27

	1	2	3	4	5	6	7	8	9	10	11	12
1	O	M	N	I	V	O	R	E		A	N	A
2	B	O	U	L	E	V	A	R	D	I	E	R
3	S	T	A	L	L	E		I	O	N		C
4	T	E		I	L		A	G	G	E	E	
5	R	U	I	N	E	U	S	E	M	E	N	T
6	U	R		O	I	N	T		A		C	O
7	C		B	I	T		R	A	T	I	E	R
8	T	O	R	S	A	D	E	R	I	O	N	S
9	I	C	I		I	O		A	S		S	I
10	F	E	L	E	R		I	S	E	E		O
11		A	L	L	E	G	R	E		T	I	N
12	P	N	E	U		D	E	R	E	E	L	

Nº 28

	1	2	3	4	5	6	7	8	9	10	11	12
1	M	I	S	S	O	U	R	I		C	A	P
2	A	N	C	E	T	R	E		W	A	T	T
3	T	A	R	S	I	E	N	N	E		H	O
4	E	P	I		T	E	N	E	B	R	E	S
5	R	A	B	L	E		E	M	E	U	T	E
6	N	I	E	S		O		A	R	N	O	
7	A	S		D	E	B	U	T		A	S	E
8	G	A	L		R	E	S	O	R	B	E	R
9	E	B	A	H	I	R		D	U	O		R
10		L	U		G	E	N	E		U	S	E
11	B	E	R	G	E		I		E	T	A	U
12	U		E	D	R	E	D	O	N		C	R

Nº 29

Nº 30

Nº 31

Nº 32

SOLUTIONS

N° 33

N° 34

N° 35

N° 36

SOLUTIONS

N° 37

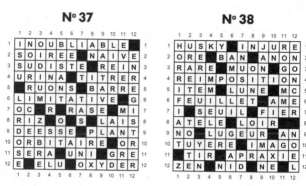

	1	2	3	4	5	6	7	8	9	10	11	12
1	I	N	O	U	B	L	I	A	B	L	E	
2	S	O	I	R	E	E		N	A	I	V	E
3	S	U	D	I	S	T	E		R	E	I	N
4	U	R	I	N	A		T	I	T	R	E	R
5		R	U	O	N	S		B	A	R	R	E
6	L	I	M	I	T	A	T	I	V	E		G
7	O	C		R		R	A	S	E		M	I
8	R	I	Z		O		S		L	A	I	S
9	D	E	E	S	S	E		P	L	A	N	T
10	O	R	B	I	T	A	I	R	E		O	R
11	S	E	R	A		U	N	I		G	R	E
12	E		E	L	U		O	X	Y	D	E	R

N° 38

	1	2	3	4	5	6	7	8	9	10	11	12
1	H	U	S	K	Y		I	N	J	U	R	E
2	O	R	E		B	A	N		A	N	O	N
3	R	A	R	E		M	U	O	N		G	O
4	R	E	I	M	P	O	S	I	T	I	O	N
5	I	T	E	M		L	U	N	E		M	C
6	F	E	U	I	L	L	E	T		A	M	E
7	I		S	E	U	I	L		F	I	E	R
8	A	T	E	L	E		L	O	I	R		
9	N	O		L	U	G	E	U	R		A	N
10	T	U	Y	E	R	E		I	M	A	G	O
11		T	I	R		A	P	R	A	X	I	E
12	Z	E	N		N	I	D		N	E		L

N° 39

	1	2	3	4	5	6	7	8	9	10	11	12
1	T	R	O	U	B	L	A	N	T	E		H
2	H	U	T	T	E		L	A	I	T	U	E
3	O	R	E	I	L	L	E		A		S	U
4	R	A		L	E	O	P	A	R	D		R
5	A	L	O	I		T	I	R	E	U	S	E
6	C	E	N	T	A	I	N	E		C	O	U
7	E		Z	E	B	R	E		I	R	I	S
8	N	I	E		L	A		P	R	O	N	E
9	T			N	A	I	N	E		I		M
10	E	F	F	E	T		E	P	A	R	S	E
11	S	A		R	I	T	E		P	E	A	N
12	E	T	O	F	F	E		B	I		S	T

N° 40

	1	2	3	4	5	6	7	8	9	10	11	12
1	M	A	J	E	S	T	U	E	U	S	E	S
2	A	B	U	S	E		T	U	L	I	P	E
3	M	Y	R	T	I	F	O	R	M	E	S	
4	A	S	A		N	E	P	E		R	O	C
5	N	S		D	E	M	I		O	R	M	E
6		I	R	E		M	E	T	R	A	I	S
7	A	N	E	M	I	E		R	A		T	A
8	G	I	L	E	T		S	O	L		E	R
9	R	E	A		H	A	T	I	E	Z		
10	I	N	T	R	O	M	I	S	S	I	O	N
11	L		E		S	E	P			N	I	E
12	E	Y	R	A		R	E	N	A	C	L	E

SOLUTIONS

Nº 41

	1	2	3	4	5	6	7	8	9	10	11	12
1	P	A	S	T	E	U	R	I	S	E	R	A
2	H	U	R	O	N		A	N	I	M	A	L
3	A	G		G	O	S	I	E	R		D	E
4	R	U	D	E	N	T	E	R		P	U	S
5	I	R	E		C	E		T	A	B	L	E
6	S	A	C	R	E	R	A	I	S		A	U
7	A	L	L	U	R	E		E	S	T		S
8	I		A	S		R	B		U	R	E	E
9	S	A	S	S	E		E	P	R	I	S	
10	M	I	S	E	R	A	B	L	E		C	A
11	E	R	E		R	I	E	U	R		O	N
12	S	E	R	R	E	R		S	A	N	T	E

Nº 42

	1	2	3	4	5	6	7	8	9	10	11	12
1	O	S	M	O	M	E	T	R	E		T	A
2	C	O	U	R	E	U	R		S	T	E	M
3	T	U	R	B	U	L	E	N	T	E		O
4	A	R	E		T	E	T	U		R	A	S
5	E	N	T	I	E	R	E	M	E	N	T	
6	D	O		N	S		A	E	T	I	T	E
7	R	I	E	N		S	U	R	I	R	A	S
8	E	S	P	E	C	E		O	R		C	S
9		E	R	R	A	N	T		E	C	H	O
10	G	R	I	V	O	I	S	E		M	E	R
11	A	I	S	E		L	A	M	A		R	E
12	L	E		R	U	E	R		S	T	A	R

Nº 43

	1	2	3	4	5	6	7	8	9	10	11	12
1	I	M	M	E	D	I	A	T	E		A	M
2	N	O	U	V	E	L	L	E		U	N	E
3	G	U	E	R	R	E		X	E	N	O	N
4	E	T	R	O	N		A	T	T	I	R	E
5	N	A		N	I	M	B	E	R		D	U
6	I	R	E		E	A	U		A	G	I	R
7	E	D	G	A	R		S	E	V	I	R	
8	R	E	E	L		B	E	T	E	L		F
9	I		R	I	E	U	S	E		E	C	U
10	E	U	M	E	N	E		T	O	T	E	M
11		S	E	N	T	I	N	E	S		D	E
12	D	E	R	E	E	L		R	E	P	I	T

Nº 44

	1	2	3	4	5	6	7	8	9	10	11	12
1	I	N	A	D	A	P	T	A	T	I	O	N
2	M	O	U	I	L	L	U	R	E		G	A
3	M	U	R	E		E	T	R	O	I	T	
4	A	V	E	U	L	I	R		M		V	A
5	N	E	O		I	N	A	M	I	C	A	L
6	E	A	L	I	N	G		A	N	A	L	
7	N	U	E	R		R	U	R	A	L		G
8	T		R	A	P	A	T	R	I	E	R	A
9		P		N	E	T		A	S	S	E	Z
10	D	E	P	I	T		B	I	O		T	E
11	O	U	I	E		B	A	N	N	I	R	
12	T	R	E	N	T	E		E		L	O	F

SOLUTIONS

N° 45

	1	2	3	4	5	6	7	8	9	10	11	12
1	G	A	Z	O	U	I	L	L	A	N	T	E
2	A	L	O	R	S		A	U	T	E	U	R
3	G	L	O	B	A	L		M	O	T	T	E
4	E	U	T		S		G	I	N		E	
5		M	A	L		C	U	E	I	L	L	E
6	V	E	X	A	T	O	I	R	E		A	N
7	E	T	I	R	E	R		E		H	I	C
8	S	T	E	R	E		E		P	A	R	E
9	I	I		O		E	T	E	S	I	E	N
10	C	E	R	N	E		A	T		T		S
11	A	R	A		T	O	N	A	L	I	T	E
12	L	E	T	H	A	R	G	I	E		B	R

N° 46

	1	2	3	4	5	6	7	8	9	10	11	12
1	R	A	D	I	C	A	L	E	M	E	N	T
2	I	T	E	R	A	T	I	V	E		A	I
3	C	H	I	E	N			A	R	S	I	N
4	I	L	S		T	A	B	L	E	T	T	E
5	N	E	T	T	O	Y	E	U	S	E		T
6		T	E	I	N	D	R	E		R	U	T
7	G	E		A	N	A		R	A	I	N	E
8	A		F	R	I	T	E		I	L		
9	B	O	L	E	E		T	R	E	I	Z	E
10	I	R	E		R	A	I	E		S	O	S
11	O	E	U	F		P	R	I	V	E	N	T
12	N	E	R	O	N	I	E	N		R	E	E

N° 47

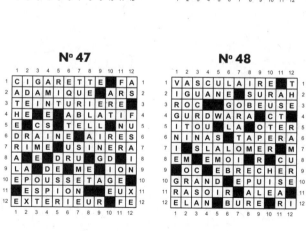

	1	2	3	4	5	6	7	8	9	10	11	12
1	C	I	G	A	R	E	T	T	E		F	A
2	A	D	A	M	I	Q	U	E		A	R	S
3	T	E	I	N	T	U	R	I	E	R	E	
4	H	E		E		A	B	L	A	T	I	F
5	E		C	S		T	E	L	L		N	U
6	D	R	A	I	N	E		A	I	R	E	S
7	R	I	M	E		U	S	I	N	E	R	A
8	A		E		D	R	U		G	D		I
9	L	A		D	E		M	E		I	O	N
10	E	P	O	U	S	S	E	T	A	G	E	
11		E	S	P	I	O	N		E	U	X	
12	E	X	T	E	R	I	E	U	R		F	E

N° 48

	1	2	3	4	5	6	7	8	9	10	11	12
1	V	A	S	C	U	L	A	I	R	E		T
2	I	G	U	A	N	E		S	U	R	A	H
3	R	O	C		G	O	B	E	U	S	E	
4	G	U	R	D	W	A	R	A		C	T	
5	I	T	O	U		L	A		O	T	E	R
6	N	I	N	A	S		T	A	P	E	R	A
7	I		S	L	A	L	O	M	E	R		M
8	E	M		E	M	O	I		R		C	U
9		O	C		E	B	R	E	C	H	E	R
10	G	R	A	N	D		E	P	U	I	S	E
11	R	A	S	O	I	R		A	L	E	A	
12	E	L	A	N		B	U	R	E		R	I

SOLUTIONS

Nº 49

	1	2	3	4	5	6	7	8	9	10	11	12
1	M	A	R	T	I	N	I	Q	U	A	I	S
2	A	V	O	I	N	E		U	R	U	B	U
3	L	I	S	T	E	Z		E	N	V	I	E
4	C	O	E	U	R		B	U	E	E	S	
5	O	N		L	T		E	X		N		B
6		L		P	A	I	E	N		E	T	E	L
7	M	A	N	I	E	M	E	N	T		G	E
8		B	E	R		U	V	E	I	T	E	
9	C	R	U	E	L		O	P	E	R	E	R
10	H	E			A	I	L	E	R	O	N	
11	A	G	A	T	I	S	E		U	N	I	
12	S	E	M	I	T	E		G	R	E	E	R

Nº 50

	1	2	3	4	5	6	7	8	9	10	11	12
1	F	O	I	R	E	R		A	S	T	E	R
2	R	U	D	E		A	R	I	A		T	E
3	E	R	O	S	I	V	E		B	R	O	N
4	D	E	L	I	R	E		N	E	A	N	T
5	E	B	E	N	E		T	I	E	N	N	E
6	R	I		I		O	R	O	N	G	E	
7	I		A	F	O	C	A	L		E	R	G
8	C	H	I	E	N		I	O	D	E		U
9	T	E	R	R	A	I	N		A		C	E
10	O	R		E	G	L	A	N	T	I	E	R
11	N	O	N		R	O	S	E	E		D	E
12		S	U	J	E	T		F	R	U	I	T

Nº 51

	1	2	3	4	5	6	7	8	9	10	11	12
1	P	L	E	U	R	N	I	C	H	E	R	A
2	H	E	T	R	E		S	A	U	T	E	R
3	O	C	C	A	S	I	O	N	N	E	L	
4	C	O		N	I	D		O	S		A	S
5	I	N	C	I	D	E	N	T		S	T	E
6	D		R	U	E	E		I	D	E	A	L
7	I	T	E	M		H	E	R	N	I	E	
8	E	R	E		P	H	A	R	E		N	
9	N	A	R	G	U	E	R		V	O	M	I
10	N	I	A		I	S	O	L	E	R		U
11	E	T	I	O	N	S		E		M	U	R
12	S	A	S	S	E		M	U	R	E	N	E

Nº 52

	1	2	3	4	5	6	7	8	9	10	11	12
1	P	L	E	I	N	E		B	O	Y	A	U
2	R	E	N	C	A	R	D	E	R		U	S
3	E	U	R	O	P	E	E	N	N	E		N
4	F	R	E	N	E		C	I	E	R	G	E
5	A		G	O	L	F	E		R	O	U	E
6	B	A	I	L		U	S	E		D	A	
7	R	I	M	O	N	S		B	R	E	M	E
8	I		E	G	U	E	U	L	E	R		T
9	Q		N	I	E		L	O	B		P	A
10	U	L	T	E	R	I	E	U	R		O	U
11	E	A		A		M	I	A	M	I		
12	R	E	S	P	I	R	A		S	O	L	E

SOLUTIONS

N° 53

	1	2	3	4	5	6	7	8	9	10	11	12
1	B	O	I	S	S	E	L	L	E	R	I	E
2	A	D	R	O	I	T	E		T	E		C
3	S	O	I	R	E	E		E	R	G	O	L
4	A	R	D	E	N	T	E		E	R	R	A
5	L	A	I		N	E	G	O	C	E		T
6		T	U	B	E	R	O	S	I	T	E	
7	R		M	I			S	T	E		P	A
8	A	T		S	O	S	I	E		P	I	C
9	P	H	O	T	O		L	I	V	R	E	T
10	P	E	U	R		A	L	T	I	E	R	E
11	E		R	E	C	R	E	E	R		A	U
12	L	I	S	E	R	E	R		E	M	I	R

N° 54

	1	2	3	4	5	6	7	8	9	10	11	12
1	E	L	E	G	A	M	M	E	N	T		M
2	V	O	Y	A	G	E	U	S	E		F	E
3	E	T	R	I	E	R		T	O	U	R	D
4	N		A		N	I	F	E		R	O	I
5	E	R		A	D	S	O	R	B	A	N	T
6	M	I	T	R	A	I	L	L	E	T	T	E
7	E	P	E	E		E	L	I	T	E		R
8	N	E		C	A	R	E	N	E		Z	R
9	T	R	I		T		M		M	A	N	A
10	I		L		H	Y	E	N	E	S		N
11	E	C	O	P	E		N	O	N		T	E
12	L	U	T	T	E		T	E	T	I	N	E

127